LE LIVRE
DES TARTES

DU MÊME AUTEUR

Les recettes de la table franc-comtoise, Strasbourg (Istra), 1975 (en collaboration avec A. Jeunet).

Les recettes de la table bourguignonne, Strasbourg (Istra), 1977 (en collaboration avec F. Mornand).

Le livre de la cuisine alsacienne. Das Kochbuch aus dem Elsass, Münster (Hölker), 1978.

Le livre de la cuisine lyonnaise. Das Kochbuch aus Lyon, Münster (Hölker), 1979.

Coq d'Or. Eine kulinarische Reise durch Frankreich, Wiesbaden (Der Greif), 1965.

So isst man in Frankreich, Berlin, Wien (Bertelsmann), 1971, prix de l'Académie allemande de Gastronomie.

Saucen für Feinschmecker, Francfort/M. (Umschau), 1974.

Saucen für Feinschmecker, Innsbruck (Pinguin), 1975.

Das Beste aus Frankreichs Küche, München (Goldmann), 1977, Taschenbuch.

Ginette HELL-GIROD

LE LIVRE
DES TARTES

Flammarion

AVANT-PROPOS

Aimez-vous les tartes?

A cette question, personne jamais ne m'a répondu négativement.

Cette gourmande interrogation suscite souvent une conversation vive, passionnée, riche de souvenirs, d'évocations, de références...

Moi, j'ai toujours aimé les tartes!

Enfant, dans la cuisine familiale, c'était pour moi un jeu d'étendre un peu de pâte, quémandée à ma mère, dans un petit moule noir qui m'était réservé, une joie de le garnir selon la saison et ma fantaisie, de fruits de toutes les couleurs, et de voir sortir du four une tarte dorée et croustillante pleine de fruits fondus dans un sirop odorant. Jeu combien plus exaltant que celui des pâtés de sable!

La préparation de la pâte aussi me fascinait. N'était-ce pas de la magie? Des doigts merveilleusement agiles malaxaient farine, beurre, sucre et cela devenait pâte lisse, boule molle, disque plat et dans la chaleur du four un gâteau succulent!

Depuis lors, je n'ai pas cessé de faire des tartes, des milliers de tartes, sucrées, salées, avec le même bonheur.

Combien d'adultes ont aussi dans leurs souvenirs d'enfance des images de tartes aux cerises rouges sortant du four ou des odeurs chaudes, sucrées, aigrelettes de tartes aux pommes?

Souvenirs de tendresse familiale, de gourmandise. Nostalgie de l'enfance. Pouvoir magique et poétique d'un mot!

Les tartes qu'on refusa si souvent au poète pauvre, Villon les évoque dans son « Testament ». La romancière Colette, se souvenant du goût âpre des galettes paysannes, faites avec « l'écume du beurre », revoyait son heureuse enfance en Bourgogne et Mélie sa nourrice qui s'affairait près de l'âtre.

Dans nos contes de fées, la douce héroïne est souvent en train de préparer une tarte ou une galette. Blanche-Neige chante devant la fenêtre en étendant la pâte d'une tarte destinée aux nains quand la méchante fée s'approche... Et la galette croustillante, elle aussi on l'aperçoit sous le linge blanc, dans le panier du Petit Chaperon Rouge qui va chez sa grand-mère.

« Tarte », mot d'origine obscure dit le dictionnaire Robert, qui vient probablement de l'ancien français « tartre ». On retrouve des mots voisins dans les langues wallonne et allemande. Pour tous, même filiation de sens : « délicat, fin, doux ». Voilà qui me ravit!

De plus, les tartes me paraissent une spécialité bien française. Nulle part ailleurs elles ne sont aussi nombreuses et diverses qu'en France, reflétant l'imagination des maîtresses de maison et des cuisiniers et la variété de la cuisine française.

Les tartes et leurs sœurs les tourtes et les galettes sont innombrables, différentes selon les régions. Les tourtes paysannes, très anciennes, faites avec les produits du terroir, expriment le caractère de chaque province : tourte limousine, bourguignonne, alsacienne, bourbonnaise, etc.

« Tarte maison aux fruits de saison. »

Qui osera dire que cette indication portée sur un menu ne l'a jamais tenté et n'a pas guidé le choix de son menu, lorsqu'il était hésitant?

Il est vrai, les tartes sucrées sont des desserts aimés de tous, petits et grands : tartes savoureuses aux fruits qui suivent le rythme des saisons, tartes au flan, aux crèmes, rustiques ou raffinées qui permettent à la maîtresse de maison ou au cuisinier d'affirmer son originalité.

Les tartes ou les tourtes salées, succulentes et moins connues, sont elles aussi d'une variété infinie. Entrées raffinées pour repas de fête ou plat unique pour dîner familial ou repas « sans façon ».

Pour jouer et retrouver votre esprit d'enfance,

Pour le plaisir de vos papilles et pour satisfaire votre goût,

Pour le bonheur des vôtres,
Faites des tartes !

LES DIVERSES SORTES DE TARTES

Avec seulement quatre recettes de pâtes très faciles à exécuter, qu'on prépare soi-même ou qu'on peut acheter toutes préparées, on peut servir une variété étonnante de mets savoureux très personnels.

Quel plaisir de faire déguster à ses amis ou à sa famille un plat délicieux, original, qu'on a exécuté sans trop de peine !

Les tartes sont composées d'un fond de pâte mince (brisée, sablée ou feuilletée) entouré d'un rebord, et d'une garniture.

Elles peuvent être sucrées ou salées.

Les tartes sucrées sont des gâteaux dont la garniture peut être une crème, un flan ou une préparation à base de fruits.

Les tartes salées peuvent être servies comme hors-d'œuvre ou entrée ou comme plat unique. Les garnitures en sont très variées : flan, viandes, poissons, légumes, etc.

Elles se dégustent souvent chaudes ou tièdes.

D'anciennes recettes de tartes sont à base de pâte à pain (pâte levée) car jadis on utilisait souvent la pâte à pain pour faire des tartes qu'on cuisait alors dans les fours à pain.

La tourte est une tarte qu'on recouvre d'un couvercle, de même pâte que le fond. Les tourtes sont souvent salées et garnies de viandes, poissons, champignons et farces diverses. Originales et délicieuses entrées, elles étaient autrefois très appréciées. Elles pouvaient être simples et rustiques ou très raffinées.

Le « pie », ou tarte à l'anglaise, est une sorte de tarte à l'envers. On met la garniture au fond du plat et on recouvre d'un couvercle de pâte. Le « pie » se sert dans le plat.

La galette est un gâteau de pâte rond et plat, sans bord et sans garniture apparente. La pâte de la galette est souvent la même que la pâte à tarte.

Pour confectionner les tartes ou tourtes, on peut utiliser diverses sortes de pâtes classiques dites pâtes « à foncer ».

Les pâtes utilisées : recettes de base

I. La pâte brisée :

La plus utilisée à la fois pour les tartes salées et sucrées.
Préparation : 10 mn
Recette pour 6 personnes : environ 400 g de pâte, moule de 28 cm de diamètre.

250 g de farine, 125 g de beurre, 1 pincée de sel, 20 g de sucre, 3/4 de verre d'eau.

Si la pâte est destinée à une tarte salée, supprimer le sucre.

Dans une terrine, ou sur la planche à pâtisserie, disposer la farine, faire un puits au milieu. Y mettre le sel, le sucre, le beurre un peu ramolli. Mélanger en travaillant légèrement du bout des doigts la farine et le beurre, de façon à obtenir une sorte de grosse semoule. Ajouter l'eau, d'abord la moitié, et ensuite l'incorporer peu à peu. Arrêter dès que la farine est absorbée. Mélanger, mais ne pas trop travailler la pâte. Dès qu'elle ne colle plus aux doigts, la ramasser en boule. La mettre dans un récipient couvert d'un linge.

Laisser reposer (si possible) une ou deux heures au frais. (On peut utiliser la pâte sitôt sa préparation terminée, le repos néanmoins accroît la finesse de la pâte.)

Conseil : La quantité d'eau à utiliser peut sensiblement varier selon la qualité de la farine, la chaleur de la pièce, etc.

Dès que la pâte est souple, sans être molle, il faut arrêter de mettre l'eau. Mais il vaut mieux mettre un peu trop d'eau que pas assez. Car si la quantité d'eau est insuffisante, la pâte se brise et devient très difficile à étendre.

— On peut ajouter 1 jaune d'œuf à la pâte et réduire la quantité d'eau, l'œuf donne un peu de consistance à la pâte, nécessaire pour certaines tartes (tartes sucrées aux fruits très juteux par exemple).

Entre nous : Tenant compte de « secrets révélés », et après de multiples essais, j'ai amélioré la recette de ma pâte brisée :

— j'ajoute, en même temps que le beurre (125 g), une cuillerée et demie d'huile (en plus),

— je remplace l'eau par du lait,

et j'utilise cette pâte pour toutes mes tartes.

II. Pâte sablée :

Préparation : 15 mn
Pour 6 personnes : 550 g de pâte, moule de 28 cm de diamètre.

250 g de farine, 175 g de beurre, 80 g de sucre, 1 œuf, 1 pincée de sel.

Dans une terrine, travailler le sucre et le sel avec l'œuf entier. Incorporer la farine rapidement avec les doigts. Lorsque le mélange est granuleux, ajouter le beurre un peu ramolli. Pétrir à la main pour obtenir une pâte onctueuse et souple. Mettre en boule et laisser (si possible) reposer une heure au frais.

Cette pâte est très friable. Elle s'emploie surtout pour les tartes à fruits déjà cuits ou pour les tartes à fruits ne devant pas cuire (fruits rouges surtout). La pâte étant fragile, il vaut mieux en garnir un moule à tarte à fond mobile.

III. Pâte feuilletée :

Préparation : 2 h
Pour 1,100 kg de pâte

500 g de farine, 400 g de beurre, 2 cuillerées à café de sel fin, 1/4 l d'eau.

Préparer : 1) **la détrempe :** mélanger rapidement la farine, une pincée de sel, 30 g de beurre ramolli. Incorporer l'eau peu à peu en malaxant avec les doigts. Ne pas trop travailler la pâte qui ne doit pas être élastique. La mettre en boule et la laisser reposer au frais 20 mn après avoir incisé le dessus avec la pointe d'un couteau.

2) **le feuilletage :** étendre la pâte sur la planche farinée. Lui donner une forme ronde ou carrée de 2 cm d'épaisseur environ. Poser au centre le beurre aplati en carré avec le rouleau fariné. Il doit avoir la même consistance que la pâte et une épaisseur régulière. Laisser tout autour de la pâte un espace libre pouvant être replié. Rabattre la pâte sur le beurre sur quatre côtés pour en faire un paquet en forme d'enveloppe. Frapper avec le rouleau à petits coups pour répartir le beurre dans toute la pâte.

Étendre alors la pâte en rectangle épais de 1 à 2 cm. La plier en trois, la faire pivoter d'un quart de tour (sans la retourner) et l'étendre encore en rectangle allongé. Replier encore en trois (la pâte a « deux tours »). Mettre au réfrigérateur 20 mn.

Recommencer une fois cette opération : abaisser, plier en trois, faire pivoter d'un quart de tour, abaisser, plier en trois. Remettre au frais. (La pâte a ainsi quatre tours.)

La pâte feuilletée se fait en trois fois deux tours à 20 mn d'intervalle. Les quatre premiers tours peuvent être donnés la veille de l'emploi.

Cette pâte peut facilement attendre un ou deux jours dans le réfrigérateur avant d'être utilisée. L'envelopper alors dans une feuille d'aluminium ménager.

Au moment de l'emploi, l'abaisser une dernière fois.

La pâte feuilletée se fait à quatre ou six tours selon l'emploi.

La recette de la pâte demi-feuilletée est exactement semblable à la précédente, mais avec seulement la moitié de beurre.

IV. Pâte levée :

Préparation : 20 mn
Pour 500 g de pâte (tarte pour 6 personnes), moule de 28 cm

250 g de farine, 100 g de beurre, 10 g de levure de boulanger, 5 g de sel, 40 g de sucre, 10 cl de lait, 1 œuf.

Préparer le levain : délayer dans un bol la levure avec 5 cl de lait tiède. Incorporer 50 g de farine pour obtenir une pâte légère et molle. Saupoudrer le dessus de farine et mettre dans un endroit tiède pour lever. Le levain va ainsi doubler de volume.

Préparer la pâte : verser le reste de farine (200 g) dans une terrine, creuser le milieu, y ajouter le restant de lait tiède, le sel, le sucre et l'œuf entier. Mélanger le tout ;

ajouter le levain et travailler la pâte à la main en la soulevant et en la laissant retomber pour bien l'aérer.

Malaxer le beurre et l'incorporer à la pâte. Continuer à bien travailler la pâte jusqu'à ce qu'elle se détache des mains. Laisser reposer dans un endroit tiède, la terrine étant couverte d'un linge (minimum de repos : une heure).

La pâte va doubler de volume. La rompre alors, c'est-à-dire la soulever avec la main et la laisser retomber ; la pâte perd ainsi une partie de son volume. La pâte est prête à être utilisée.

Pour les tartes salées, ne pas mettre de sucre dans la pâte.

Dans certaines recettes anciennes, on emploie des variantes de cette pâte levée, qui est une pâte rustique.

Remarque : Aujourd'hui, on trouve sur le marché :

— de la pâte (feuilletée, brisée, sablée) préparée, prête à l'emploi. Il suffit d'en garnir le moule. Elle se conserve quelques jours au réfrigérateur (vérifier la date limite d'emploi),

— de la pâte surgelée qui demande un certain temps de décongélation avant l'emploi,

— des croûtes de tartes déjà cuites et prêtes à être garnies.

Ces pâtes peuvent être très utiles lorsque la maîtresse de maison n'a pas le temps de préparer la pâte.

Il y a des pâtes préparées « tout au beurre » qui sont bonnes. Mais rien ne remplace la pâte maison si rapide à faire (10 à 15 mn).

Pour dorer les tartes :

On peut employer (à l'aide d'un pinceau) :

— soit l'œuf entier battu en omelette,

— soit un jaune d'œuf mélangé à un peu d'eau.

Cuisson

Pour bien réussir une tarte, il faut savoir bien la cuire. Le four doit être préchauffé. La partie inférieure du four surtout doit être très chaude pour saisir le fond de la tarte très rapidement. Le préchauffage est généralement de 15 à 20 mn et la cuisson se fait habituellement à four chaud entre 200 et 250°, selon la recette. Les indications pour la cuisson des tartes sont données avec le mode d'emploi du four (à lire attentivement).

Cuisson « à blanc » : sans garniture.

Dans certaines recettes, le fond de tarte doit être cuit sans garniture. Procéder ainsi :

Garnir le moule à tarte, beurré et fariné au préalable, avec la pâte. Piquer le fond avec une fourchette à dents fines. Tapisser le fond avec un papier rond sulfurisé, débordant un peu du fond. Remplir ce rond de légumes secs ou de cailloux. Le fond de tarte va ainsi cuire sans gonfler.

Faire cuire le temps nécessaire selon les indications données dans la recette.

Après cuisson, enlever papier et légumes secs.

Les recettes sont établies pour 6 personnes
Pour les tartes :
moules à tarte de 28 cm de diamètre
Pour les tourtes :
moules à tarte de 24 cm de diamètre
à bords plus hauts (tourtières)

RENSEIGNEMENTS PRATIQUES

Températures des fours

FOUR DOUX : 110 à 150 ºC - thermostat 3/4
FOUR MOYEN : 180 à 200 ºC - thermostat 5/6
FOUR CHAUD : 220 à 240 ºC - thermostat 7/8
FOUR TRÈS CHAUD : 240 à 300 ºC - thermostat 9/10

Ustensiles nécessaires

Une balance.
Un moule à tarte (avec fond amovible de préférence).
Un moule à tourte.
Un rouleau à pâtisserie en bois.
Une planche pour étendre la pâte (ronde de préférence).
Un robot ménager pour fouetter et pétrir (facultatif).
Un fouet en acier inoxydable.
Une râpe.
Une palette.
Des terrines et des bols.
Des spatules et des cuillères en bois.
Une raclette.
Une roulette à découper.
Un pinceau pour dorer.
Du papier sulfurisé.
Des haricots secs ou cailloux pour cuisson des tartes à blanc.
Un four (avec thermostat de préférence).
Une grille pâtissière.

TARTES SALÉES

tourtes, quiches, pizzas, « pies »…

TARTE AUX ASPERGES

Voir photo page 32

Préparation : 30 mn
Cuisson : 25 mn

> **Pâte brisée :** 250 g de farine, 125 g de beurre, eau, sel (voir recette).
>
> **Garniture :** 750 g d'asperges, 4 œufs, 80 g de gruyère, 125 g de crème fraîche, 1 cuillerée à soupe de maïzena, sel, poivre.

Préparer la pâte brisée. La mettre en boule. La laisser reposer au frais.

Peler, laver les asperges. Les faire cuire 15 mn dans l'eau bouillante salée. Les égoutter sur un linge. Les couper en tronçons de 3 à 4 cm (de préférence ne garder que la pointe avec 4 ou 5 cm de tige tendre).

Étendre la pâte au rouleau. En garnir un moule à tarte beurré et fariné. Piquer le fond. Faire cuire la pâte seule 10 mn.

Dans une terrine, mélanger les œufs battus en omelette, la maïzena délayée dans la crème, le gruyère râpé, le sel, le poivre.

Retirer la tarte du four, disposer les morceaux d'asperges sur le fond. Verser la préparation aux œufs sur la tarte. Continuer la cuisson à four chaud pendant 15 mn environ.

Variante : **Tarte aux asperges à la Solognote.**

Il faut 1 kg d'asperges.

On procède comme pour la recette précédente. On dispose les asperges cuites sur la tarte pré-cuite et on recouvre de sauce Mornay.

On fait dorer à four chaud.

FOUGASSE AUX ANCHOIS
(Haute-Provence)

Préparation : 30 mn (plus 1 h 30 à 2 h de repos)
Cuisson : 30 mn

500 g de farine, 20 g de levure de boulanger, 1 pincée de sel, 3 cuillerées à soupe d'huile, 300 g d'anchois à l'huile.

Dans une terrine, délayer la levure dans 1/2 verre d'eau tiède, ajouter un peu de farine (4 cuillerées environ), mélanger, former une boule de pâte un peu molle. Couvrir d'un linge, laisser reposer 30 mn dans un endroit tiède.

Ajouter le restant de farine, un verre d'eau et l'huile. Travailler bien la pâte jusqu'à ce qu'elle soit souple. Laisser à nouveau reposer 1 h environ.

Étendre la pâte au rouleau (forme carrée ou rectangulaire) sur 1 cm d'épaisseur. La mettre sur la plaque beurrée du four.

Dans un mortier, piler les anchois dans leur huile. Étaler cette purée d'anchois sur la pâte, en laissant un bord libre tout autour.

Mettre à four très chaud 10 mn, puis à four chaud 20 mn. Servir tiède.

TARTE DE BETTES A LA NIÇOISE

Préparation : 30 mn
Cuisson : 30 à 35 mn

Pâte brisée : 250 g de farine, 125 g de beurre, eau, sel (voir recette).

Garniture : 1 kg de bettes, 100 g de parmesan, 50 g de beurre, 30 g de raisins de Corinthe, 2 œufs, sel, poivre.

Faire une pâte brisée. La mettre en boule et la laisser reposer au frais.

Retirer les côtes des bettes. Faire cuire les feuilles vertes dans l'eau bouillante salée 15 mn environ. Les égoutter soigneusement en les pressant. Les hacher grossièrement.

Dans une terrine, mélanger les feuilles de bettes, le parmesan râpé, les raisins, les œufs entiers battus. Saler, poivrer, mélanger bien.

Étendre la pâte dans un moule à tarte huilé ou beurré. Piquer le fond avec une fourchette. Étaler sur le fond le mélange de bettes. Cuire à four chaud 30 mn environ.

La tarte peut être saupoudrée de sucre très fin au sortir du four.

Note : Conserver les côtes des bettes qui peuvent servir à une autre préparation.

TARTE AUX BETTES

Préparation : 45 mn
Cuisson : 45 mn

Pâte brisée : 250 g de farine, 125 g de beurre, eau, sel (voir recette), ou un paquet de pâte feuilletée fraîche ou surgelée.

Garniture : 350 g de feuilles vertes de bettes, 350 g d'oignons, 2 gousses d'ail, 4 tomates, 100 g de gruyère, 100 g de beurre, thym, muscade, sel, poivre.

Faire une pâte brisée. La mettre en boule et la laisser reposer au frais.

Laver les feuilles de bettes. Les découper en morceaux.

Dans une poêle avec une noix de beurre, faire cuire, sans eau, les feuilles de bettes. Ajouter le sel, le poivre, un peu de noix de muscade râpée (cuisson 15 mn environ).

Émincer les oignons. Les faire « fondre » (cuire sans dorer) dans du beurre, dans une petite casserole. Éplucher, épépiner les tomates. Les couper en morceaux, les cuire quelques minutes dans du beurre, jusqu'à ce que leur jus soit évaporé. Mélanger aux oignons, saler, poivrer, ajouter l'ail écrasé et un peu de thym.

Étendre la pâte au rouleau. En garnir un moule à tarte beurré et fariné. Étaler sur le fond de tarte la moitié du mélange oignons-tomates. Saupoudrer d'un peu de gruyère coupé en lamelles. Verser les bettes, les étaler. Recouvrir d'une nouvelle couche de tomates et de lamelles de gruyère.

Cuire à four chaud 45 mn.

TARTE AU CAMEMBERT

Préparation : 20 mn
Cuisson : 40 à 45 mn

> **Pâte brisée :** 250 g de farine, 125 g de beurre, eau, sel (voir recette).
>
> **Garniture :** 1 camembert, 4 œufs, 1/2 verre de crème fraîche, sel, poivre.

Faire une pâte brisée. La mettre en boule et la laisser reposer au frais.

Étendre la pâte au rouleau. En garnir un moule beurré et fariné. Piquer le fond avec une fourchette.

Dans une terrine, battre les œufs en omelette, ajouter la crème, le sel, le poivre.

Oter un peu, en grattant, la croûte du camembert. Le couper en 8 portions. Disposer ces portions sur le fond de tarte. Recouvrir avec la préparation de la terrine.

Cuire à four chaud 40 à 45 mn.

TOURTE AU CÉLERI

Préparation : 60 mn
Cuisson : 30 à 40 mn (tourte)
         35 mn (céleris)

> **Pâte brisée :** 300 g de farine, 150 g de beurre, eau, sel (voir recette).
>
> **Garniture :** 2 pieds de céleri en branches, 2 à 3 œufs, 1/4 l de lait, 50 g de beurre, sel, poivre.

Faire une pâte brisée. La mettre en boule et la laisser reposer au frais.

Éplucher les tiges de céleri, enlever tous les filaments durs, couper les tiges en fins bâtonnets.

Dans une casserole, faire étuver ces légumes au beurre, saler, laisser cuire doucement avec le couvercle 35 mn environ.

Étendre la pâte au rouleau, former deux cercles, l'un plus petit pour le fond de la tourte, l'autre pour le couvercle. Garnir un moule à tarte beurré et fariné avec la pâte servant de fond.

Dans une terrine, battre les œufs, ajouter le lait, le sel, le poivre. Ajouter ce mélange aux tiges de céleri dans la casserole. Rectifier l'assaisonnement. Verser cette préparation sur le fond de la pâte. Bien étaler et recouvrir du second cercle de pâte. Souder les bords des deux cercles, à l'aide des doigts. Dorer à l'œuf battu.

Cuire à four chaud 30 à 40 mn.

TOURTE AUX CÈPES

Préparation : 20 mn
Cuisson : 35 mn

> **Pâte brisée :** 300 g de farine, 150 g de beurre, 1/3 de verre d'eau, 2 pincées de sel (voir recette).
>
> **Garniture :** 1,5 kg de cèpes, 80 g de beurre, 200 g de crème fraîche épaisse, 1 cuillerée à café de farine.

Faire une pâte brisée. La mettre en boule et la laisser reposer au frais.

Préparer la garniture : couper la partie sableuse des champignons. Les laver soigneusement, les couper en lamelles assez épaisses, les essorer.

Dans une casserole, sur le feu, dans le beurre chaud, mettre les champignons. Laisser cuire à couvert, les champignons doivent rendre leur eau. Lorsque l'eau est évaporée, ôter le couvercle de la casserole et laisser revenir les champignons, saler, poivrer.

Dans un bol, délayer soigneusement la farine avec la crème, verser dans la casserole, mélanger avec les champignons, laisser épaissir en remuant. Aux premiers bouillons, retirer du feu.

Prendre les deux tiers de la pâte, l'étendre avec le rouleau ; on garnit un moule à tarte beurré et fariné. Laisser dépasser un peu la pâte tout autour. Verser les champignons à la crème sur ce fond.

Étendre le tiers restant de pâte, en rond pour former le couvercle. Poser le couvercle sur la tarte. Avec les doigts, souder les deux bords ensemble en les enroulant. Percer un petit trou au milieu du couvercle. Dorer la surface à l'œuf battu. Décorer à l'aide d'une pointe de couteau.

Cuire à four chaud 30 à 35 mn environ.

TARTE A LA CERVELLE

Temps de trempage : 30 mn
Préparation : 20 mn
Cuisson : 40 mn

Pâte brisée : 250 g de farine, 125 g de beurre, eau, sel (voir recette).
Garniture : 1 cervelle de veau, 80 g de beurre, 30 g de farine, 3 dl de lait, 1 tranche de jambon de Paris, 50 g de gruyère râpé, sel, poivre, vinaigre.

Faire la pâte brisée. La mettre en boule et la laisser reposer au frais.

Étendre la pâte au rouleau. En garnir un moule à tarte beurré et fariné. Piquer le fond. Recouvrir le fond d'un papier sulfurisé garni de légumes secs (ou cailloux). Faire cuire à four chaud 20 mn.

Préparation de la garniture : faire tremper la cervelle 30 mn dans l'eau tiède additionnée d'une cuillerée à soupe de vinaigre. Retirer la membrane qui entoure la cervelle. Mettre la cervelle dans une petite casserole contenant de l'eau froide salée. Faire frémir à petit feu pendant 15 mn. Égoutter soigneusement la cervelle.

Dans une casserole, faire fondre 30 g de beurre, ajouter 30 g de farine, mélanger bien en tournant, ajouter le lait tiède peu à peu en tournant toujours, saler, poivrer. La sauce épaissit, la laisser cuire quelques minutes.

Couper la cervelle et le jambon en dés. Incorporer dans la sauce.

Retirer la tarte du four. Retirer papier et légumes secs. Verser la sauce sur le fond de tarte. Parsemer de gruyère râpé et de copeaux de beurre.

Remettre à four moyen pendant 10 mn pour dorer. Servir chaud.

TARTE AUX CHAMPIGNONS

(au comté)

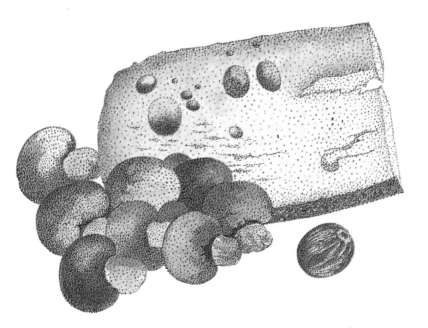

Préparation : 25 mn
Cuisson : 35 à 40 mn

Pâte brisée : 250 g de farine, 125 g de beurre, sel, eau (voir recette).

Garniture : 500 g de champignons de Paris (ou mousserons des prés), 100 g de beurre, 20 g de farine, 4 cuillerées de crème fraîche, 1 dl de lait, sel, poivre, noix de muscade, 125 g de fromage de Comté.

Préparer la pâte brisée. La mettre en boule. La laisser reposer au frais.

Couper les pieds terreux des champignons. Les laver, les égoutter et les couper en deux ou quatre morceaux suivant grosseur.

Dans une poêle, faire revenir les champignons dans du beurre chaud (50 g); saler, poivrer et laisser cuire à feu moyen pendant 5 à 6 mn. Le liquide de cuisson doit s'évaporer en partie.

Étaler la pâte au rouleau. En garnir un moule à tarte à bord assez haut, préalablement beurré et fariné. Piquer le fond de la tarte. Étendre sur ce fond un papier sulfurisé recouvert de légumes secs ou cailloux pour empêcher les boursouflures à la cuisson. Mettre à four chaud 15 mn.

Pendant ce temps, préparer une sauce béchamel : faire fondre dans une petite casserole 30 g de beurre. Lorsqu'il est chaud, verser la farine. Bien mélanger, puis ajouter le lait tiède sans cesser de tourner. Ajouter le liquide de cuisson des champignons. Laisser bouillir quelques minutes en remuant bien pour éviter les grumeaux.

Hors du feu, ajouter la crème, le beurre restant (20 g) et le fromage râpé. Saler, poivrer, ajouter une pincée de muscade râpée. Incorporer les champignons.

Sortir la tarte du four, enlever papier et légumes secs. Verser sur la pâte la sauce avec les champignons.

Faire cuire à four chaud encore 15 à 20 mn. La tarte doit être bien dorée. Servir bien chaud.

Tarte aux asperges (p. 23)

Tarte aux épinards (p. 37)
Tarte gratinée aux épinards (p. 38)

TARTE AUX CHAMPIGNONS ET ÉCHALOTES

Préparation : 30 mn
Cuisson : 45 à 50 mn

> 400 g de **pâte feuilletée** ou **pâte brisée** : 250 g de farine, 125 g de beurre, eau, sel (voir recette).
>
> **Garniture** : 500 g de champignons de Paris, 50 g de beurre, 3 échalotes, 1 citron, 3 œufs, sel, poivre, 300 g de crème.

Faire la pâte brisée. La mettre en boule et la laisser reposer au frais.

Étendre la pâte au rouleau, en garnir un moule à tarte beurré et fariné au préalable. Piquer le fond avec une fourchette.

Préparer la garniture : couper le bout terreux des champignons, les laver à l'eau citronnée, les émincer en lamelles. Hacher les échalotes.

Dans une casserole, faire fondre les échalotes hachées dans le beurre, doucement, jusqu'à ce qu'elles deviennent transparentes ; ajouter les champignons. Les laisser cuire pour qu'ils évaporent leur eau. Dès qu'il n'y a plus d'eau dans la casserole, retirer du feu. Laisser un peu refroidir.

Battre dans un bol les œufs et la crème, saler, poivrer. Incorporer ce mélange aux champignons et échalotes dans la casserole. Mélanger bien et verser sur le fond de tarte.

Cuire à four chaud 45 à 50 mn.

TARTE AUX CHAMPIGNONS D'ILE-DE-FRANCE

Préparation : 30 mn
Cuisson : 45 à 50 mn

> **Pâte brisée :** 250 g de farine, 125 g de beurre, eau, sel, 1 œuf (facultatif) (voir recette).
>
> **Garniture :** 500 g de champignons de Paris, 60 g de beurre, 30 g de farine, 1/2 l de lait, 4 cuillerées de crème fraîche, 1 œuf, sel, 2 citrons, poivre, muscade.

Faire la pâte brisée. La mettre en boule et la laisser reposer au frais.

Étendre la pâte au rouleau, en garnir un moule à tarte beurré et fariné. Piquer le fond. Poser sur le fond un papier sulfurisé rempli de légumes secs (ou cailloux). Faire cuire à four chaud 15 mn environ.

Couper le bout terreux des champignons et les laver à l'eau citronnée. Les émincer en lamelles. Les faire revenir au beurre chaud dans une petite casserole jusqu'à ce qu'ils aient rendu leur eau. Saupoudrer de farine, ajouter le lait tiède en remuant. Laisser cuire et épaissir 2 à 3 mn.

Hors du feu, incorporer le jaune d'œuf délayé avec la crème et le jus d'un citron. Saler, poivrer, ajouter une pincée de noix de muscade.

Retirer la tarte du four. Verser cette préparation sur le fond de la tarte à moitié cuite. Remettre la tarte au four 30 à 35 mn environ. Servir chaud.

TARTE A LA COURGE
(Comté de Nice)

Préparation : 45 mn
Cuisson : 20 mn (tarte)
          40 mn (garniture)

Pâte : 400 g de farine, 1 œuf, 4 cuillerées à soupe d'huile d'olive, 1 verre d'eau, sel.

Garniture : 600 à 700 g de courge (potiron rouge, de préférence), 100 g de riz, 150 g de gruyère, 2 oignons moyens, 2 œufs, 1 gousse d'ail, 3 cuillerées à soupe d'huile d'olive, sel, poivre.

Dans une terrine, mettre la farine, faire une fontaine, ajouter l'œuf, 4 cuillerées d'huile, le verre d'eau, du sel. Travailler avec les doigts comme pour la pâte brisée. Étendre la pâte au rouleau. En garnir un moule à tarte huilé. Piquer le fond avec une fourchette. Cuire à four chaud 15 mn.

Hacher l'ail et les oignons. Dans une casserole, dans un peu d'huile chaude, faire revenir ail et oignons sans laisser colorer. Cuire le riz à l'eau, 20 mn environ. Éplucher la courge, enlever les noyaux, couper la chair en gros dés, la cuire à l'eau bouillante salée 40 mn environ. Égoutter. Écraser la courge avec une fourchette.

Dans une terrine, mélanger le riz bien égoutté, les oignons, l'ail, la courge, les 2 œufs entiers et 100 g de gruyère râpé, sel et poivre.

Sortir la tarte du four et verser ce mélange sur le fond de tarte. Saupoudrer du gruyère restant (râpé, 50 g), arroser de deux cuillerées d'huile. Faire gratiner au four 5 mn.

QUICHE AUX ÉPINARDS

Préparation : 20 mn
Cuisson : 40 mn

> **Pâte brisée :** 250 g de farine, 125 g de beurre, sel, eau (voir recette).
>
> **Garniture :** 150 g de lard fumé, 10 échalotes, 2 œufs, 1 kg d'épinards frais (ou 500 g d'épinards congelés), 100 g de comté ou emmenthal, 15 g de beurre, noix de muscade, sel, poivre.

Faire une pâte brisée. La mettre en boule et la laisser reposer pendant 1 ou 2 h.

Couper le lard en petits lardons. Dans une poêle avec très peu de beurre, faire fondre les lardons à feu doux.

Éplucher et hacher les échalotes. Les mettre dans la poêle avec les lardons qui ont commencé à fondre. Laisser étuver le tout sur feu doux jusqu'à ce que les lardons et les échalotes soient légèrement dorés.

Éplucher, laver et « blanchir » les épinards 5 mn à l'eau bouillante. Les hacher grossièrement, les égoutter dans une passoire et les presser avec la main pour en extraire le jus.

Dans une terrine, battre les œufs avec le sel, le poivre et un peu de muscade râpée.

Étendre la pâte, en garnir un moule à tarte beurré et fariné. Piquer le fond avec une fourchette. Répartir sur le fond de la tarte les lardons et les échalotes hachées. Dans la terrine, mélanger les épinards hachés avec les œufs battus. Verser le mélange sur la tarte en le répartissant bien. Parsemer la surface de fromage râpé. Cuire à four chaud 40 mn.

TARTE AUX ÉPINARDS

Voir photo page 33

Préparation : 45 mn
Cuisson : 50 mn

> **Pâte brisée :** 250 g de farine, 125 g de beurre, eau, sel (voir recette).
>
> **Garniture :** 1,5 kg d'épinards, ou un paquet d'épinards surgelés (400 à 500 g), en branches de préférence, 4 œufs, 250 g de crème fraîche, sel, poivre.

Faire la pâte brisée. La mettre en boule et la laisser reposer au frais.

Éplucher, laver soigneusement les épinards, les « blanchir » 5 mn à l'eau bouillante, les égoutter, les presser avec la main pour en extraire le jus. Les hacher grossièrement. (Si vous utilisez des épinards surgelés, suivre le mode de cuisson.) Saler, poivrer.

Étendre la pâte au rouleau. En garnir un moule à tarte beurré et fariné, piquer le fond avec les dents d'une fourchette. Cuire « à blanc », sans garniture, 10 mn à four chaud.

Dans une terrine, battre les œufs, ajouter la crème, le sel, le poivre.

Retirer la tarte du four. Étaler les épinards sur le fond. Verser les œufs battus avec la crème. Cuire à four moyen 35 à 40 mn.

TARTE GRATINÉE AUX ÉPINARDS

(Bourgogne)

Voir photo page 33

Préparation : 20 mn
Cuisson : 30 à 35 mn

> **Pâte brisée :** 250 g de farine, 125 g de beurre, eau, sel (voir recette).
>
> **Garniture :** 1,5 kg d'épinards en branches, 100 g de beurre, 200 g de crème épaisse, 100 g de gruyère.

Faire une pâte brisée. La mettre en boule et la laisser reposer au frais.

Éplucher, laver les épinards. Les faire cuire à l'eau bouillante salée 5 mn, les égoutter soigneusement et les laisser refroidir. Pendant ce temps, étendre la pâte au rouleau, en garnir un moule à tarte beurré et fariné.

Mettre les épinards non hachés dans une terrine, bien incorporer, en remuant, le beurre et la crème fraîche. Saler, poivrer. Verser ce mélange sur le fond de tarte. Parsemer de gruyère coupé en petits dés.

Cuire à four chaud 30 à 35 mn. La tarte doit bien gratiner. Servir très chaud.

TOURTE AUX ÉPINARDS ET AU FROMAGE BLANC
(Spanacopitta - Grèce)

Préparation : 40 mn
Cuisson : 60 mn

> 500 g de **pâte brisée** (voir recette).
>
> **Garniture :** 1 kg d'épinards, 1 gros oignon, 8 cuillerées d'huile, 300 g de fromage blanc bien égoutté, 3 œufs, 60 g de fromage râpé (parmesan ou gruyère).

Faire la pâte brisée. La mettre en boule, la laisser reposer au frais.

Éplucher, laver les épinards. Les couper en morceaux. Les faire cuire dans l'huile 20 à 30 mn environ. Ajouter l'oignon haché finement, saler, poivrer.

Diviser la pâte brisée en deux (une partie étant plus grosse que l'autre). Étaler les deux parties (l'une plus grande servant de fond à la tourte, l'autre de couvercle). Garnir un moule à tarte huilé au préalable, avec une moitié de pâte. Faire monter la pâte sur le bord un peu haut.

Dans un bol, battre les œufs entiers, le sel, le poivre.

Râper le fromage. Étaler sur le fond de la pâte la moitié des épinards bien égouttés. Verser les œufs battus. Répandre sur la surface le fromage blanc émietté, le fromage râpé, étaler le reste d'épinards, recouvrir avec la pâte restante.

Bien fermer couvercle et fond en soudant les bords avec les doigts. Badigeonner le couvercle d'huile, décorer à l'aide d'une pointe de couteau.

Cuire à four moyen 60 mn.

TARTE AUX ESCARGOTS

Préparation : 30 mn
Cuisson : 35 mn

350 g de **pâte feuilletée** (voir recette).

Garniture : 1/2 boîte d'escargots, 2 blancs de poireaux, 2 échalotes, 3 œufs, 1/2 l de crème fraîche épaisse, 60 g de beurre, 1 cuillerée à café de cerfeuil haché, sel, poivre.

Faire la pâte feuilletée. Étendre la pâte, en garnir un moule à tarte légèrement beurré. Laisser reposer au frais (30 mn).

Verser les escargots dans une passoire. Les rincer sous l'eau froide du robinet. Laisser bien égoutter.

Émincer les blancs de poireaux. Les faire fondre dans du beurre (30 g), c'est-à-dire cuire lentement sans dorer. Dans une autre petite casserole, faire fondre dans le reste du beurre les échalotes hachées. Incorporer les escargots. Mélanger. Ajouter les poireaux. Saler, poivrer.

Sur le fond de tarte, étaler la préparation aux escargots. Saupoudrer de cerfeuil haché.

Battre les œufs en omelette, ajouter la crème, du sel, du poivre. Verser sur la tarte pour recouvrir les escargots. Cuire à four chaud 35 mn environ.

TARTE FLAMBÉE : « FLAMMEKUECHE »
(Alsace)

Préparation : 15 mn
Cuisson : 10 mn

> **500 g de pâte à pain, 250 g de fromage blanc, 1/4 l de crème épaisse, 2 gros oignons, 100 g de poitrine fumée, 1 cuillerée à soupe d'huile de colza, noix de muscade, sel, poivre.**

Couper le lard en petits lardons. Hacher les oignons. Mélanger bien le fromage blanc et la crème. Assaisonner de sel, de poivre et d'une pincée de muscade râpée.

Étendre la pâte très finement, la poser sur la plaque du four beurrée (ou directement sur la pelle de boulanger). Étaler sur la pâte le mélange fromage-crème avec une spatule en bois. Parsemer la surface de la pâte d'oignons et de lardons. Arroser avec l'huile.

Cuire à four brûlant (four à pain de préférence) 10 mn.

Si on ne dispose pas de plaque de four, on peut partager la pâte en trois et cuire successivement la pâte dans trois moules à tarte beurrés. La tarte flambée est toujours immédiatement partagée entre les convives dès sa sortie du four.

La tarte flambée est bien meilleure lorsqu'elle est cuite comme autrefois dans les villages, dans un four à pain, chauffé au préalable avec des brindilles de bois qu'on écarte pour introduire la pelle en bois où se trouve la tarte qui est alors « léchée » par les flammes.

TARTE AU FROMAGE FRANC-COMTOISE

Préparation : 20 mn
Cuisson : 30 mn

Pâte brisée : 250 g de farine, 125 g de beurre, eau, sel (voir recette).

Garniture : 1/4 l de lait, 4 œufs, 1/4 l de crème fraîche, 250 g de gruyère de Comté, sel, poivre, noix de muscade.

Faire une pâte brisée. La mettre en boule et la laisser reposer au frais.

Préparer la garniture : dans une terrine, travailler le lait, la crème, les œufs entiers, le sel, le poivre, une pincée de noix de muscade râpée. Râper le comté.

Étendre la pâte au rouleau sur 3 mm d'épaisseur environ. En garnir un moule à tarte beurré et fariné. Parsemer le fond de la tarte de fromage râpé, verser dessus la garniture.

Cuire à four chaud 30 mn. Servir chaud.

GALETTE COMTOISE

Préparation : 20 mn
Cuisson : 40 mn

125 g de farine, 125 g de beurre, 125 g de comté râpé, 3 œufs, 1 pincée de sel, 1 œuf pour dorer.

Dans une terrine, disposer la farine en fontaine, ajouter les œufs entiers, le comté, le beurre en pommade, le sel. Travailler énergiquement la pâte. Mettre en boule et laisser reposer 1 h.

Étendre la pâte avec la paume de la main ou une cuillère sur la tôle beurrée et farinée du four.

Décorer la surface de la galette avec la pointe fine d'un couteau. Dorer au jaune d'œuf.

Cuire à four chaud 40 mn environ.

TARTE AU FROMAGE

(Suisse)

Préparation : 20 mn
Cuisson : 30 à 40 mn

Pâte brisée : 250 g de farine, 125 g de beurre, eau, sel (voir recette).

Garniture : 100 g d'emmenthal, 100 g de gruyère, 50 g de farine, 4 dl de lait, 50 g d'oignons, 3 œufs, 1 petit verre de yoghourt, sel, poivre, muscade.

Faire la pâte brisée. La mettre en boule et la laisser reposer au frais. Reprendre la pâte, l'étendre au rouleau (3 à 4 mm d'épaisseur), en garnir un moule à tarte beurré et fariné. Piquer le fond.

Dans une casserole, délayer la farine avec le lait. Faire cuire en remuant, ajouter les oignons hachés finement. Laisser bouillir quelques minutes, puis refroidir. Incorporer ensuite les œufs entiers battus, le yoghourt, les fromages râpés, le sel, le poivre, un peu de muscade râpée. Verser cette préparation sur le fond de tarte.

Cuire à four chaud 30 à 40 mn. Servir chaud.

TOURTE AU JAMBON

Préparation : 30 mn
Cuisson : 1 h à 1 h 15

> **700 g de pâte feuilletée** fraîche (voir recette) ou pâte feuilletée toute prête.
>
> **Garniture :** 500 g d'emmenthal ou de comté, 6 tranches fines de jambon cuit, de Paris ou jambon fumé, 1 œuf, sel, poivre.

Couper le fromage en lamelles fines.

Diviser la pâte en deux. Étendre une moitié sur 4 à 5 mm d'épaisseur. La poser sur la tôle du four beurrée ou huilée. La découper en rond à l'aide d'un plat. Disposer dessus une couche de jambon, une couche de fromage, une couche de jambon, une couche de fromage en laissant sur le pourtour une frange de pâte (1 cm) non couverte. Saler (très légèrement si le fromage et le jambon sont très salés) et poivrer entre chaque couche.

Étendre l'autre moitié de pâte (couvercle) sur 3 mm d'épaisseur en rond. Badigeonner le pourtour laissé libre du fond de la tourte avec l'œuf battu. Sur la dernière couche de jambon, poser le couvercle de la tourte. Appuyer avec les doigts pour coller fond et couvercle. Avec un doigt, marquer des dents sur le pourtour de la tourte. Dorer la surface à l'œuf. Piquer le dessus et décorer avec la pointe d'un couteau.

Mettre à four chaud 30 mn, puis continuer à four modéré encore 30 à 45 mn. Servir chaud ou tiède.

QUICHE AU JAMBON

Préparation : 40 mn
Cuisson : 30 à 35 mn

Pâte brisée : 250 g de farine, 125 g de beurre, eau, sel (voir recette).

Garniture : 150 g de lard de poitrine, 150 g de maigre de jambon cuit, 4 œufs, 1/4 l de crème fraîche, 1/4 l de lait, sel, poivre.

Faire une pâte brisée. La rouler en boule et la laisser reposer au frais.

Couper le lard (sans la couenne) en petits lardons. Le mettre dans l'eau bouillante quelques minutes (7 à 8 mn) et l'égoutter. Hacher le jambon assez fin.

Dans une terrine, battre les œufs entiers ; ajouter la crème et le lait. Assaisonner de sel, de poivre, ajouter le jambon haché.

Étendre la pâte au rouleau. En garnir un moule à tarte beurré et fariné. Parsemer le fond de la tarte de lardons. Puis verser dessus la préparation de crème au jambon.

Cuire à four chaud 30 à 35 mn.

QUICHE LORRAINE

Préparation : 20 mn
Cuisson : 35 mn

> **Pâte brisée :** 250 g de farine, 125 g de beurre, sel, eau (voir recette).
>
> **Garniture :** 1/2 l de crème épaisse, 4 œufs, poivre, sel, 175 g de lard fumé (ou salé), noix de muscade (facultatif).

Faire la pâte brisée. La mettre en boule et la laisser reposer au frais.

Couper le lard en petits lardons. Dans la poêle sèche ou contenant très peu de beurre, faire revenir les lardons à petit feu. Dès qu'ils commencent à dorer, les retirer, les égoutter.

Étendre la pâte au rouleau. En garnir un moule à tarte beurré et fariné. Bien la piquer avec les dents d'une fourchette. Mettre à four chaud 10 mn.

Pendant ce temps, dans une terrine, battre les œufs et la crème, saler (pas trop à cause des lardons qui sont souvent salés), poivrer, ajouter un peu de muscade râpée.

Sortir la quiche du four, disposer dessus les lardons bien répartis, verser la préparation de la terrine. Remettre la quiche au four. Cuire à four chaud 20 à 25 mn. La quiche doit être bien dorée. Servir tiède.

TARTE VIGNERONNE AU LARD

Préparation : 30 mn
Cuisson : 30 à 35 mn

> **Pâte brisée :** 250 g de farine, 125 g de beurre, eau, sel (voir recette).
>
> **Garniture :** 6 poireaux, 60 g de beurre, 2 dl de bouillon, 3 œufs, 80 g de jambon cuit, persil, ciboulette, 8 tranches fines de lard de poitrine, sel, poivre.

Préparer la pâte brisée. La mettre en boule et la laisser reposer au frais.

Éplucher, laver les poireaux. Oter le vert et émincer le blanc des poireaux. Dans une poêle, au beurre chaud, faire cuire doucement les poireaux sans les laisser dorer. Mouiller avec le bouillon et laisser cuire quelques minutes en remuant. Saler, poivrer. Retirer du feu.

Dans une terrine, battre les œufs en omelette. Incorporer les poireaux et leur jus de cuisson, puis le jambon grossièrement haché, les herbes hachées. Vérifier l'assaisonnement.

Étendre la pâte au rouleau. En garnir un moule à tarte beurré et fariné. Piquer le fond avec une fourchette.

Disposer les tranches de lard sur le fond de tarte. Verser dessus la préparation de la terrine. Parsemer de petits morceaux de beurre.

Cuire à four chaud 30 à 35 mn.

Pissaladière (p. 57)

Tarte à l'oignon (p. 54)
Tourte de veau (p. 68)

GOYÈRE AU MAROILLES
(Valenciennes)

Préparation : 30 mn
Cuisson : 50 à 60 mn

Pâte brisée : 250 g de farine, 125 g de beurre, sel, 1 jaune d'œuf, un peu d'eau (voir recette).
On peut aussi utiliser de la pâte levée (voir recette).

Garniture : 150 g de fromage de Maroilles, 150 g de fromage blanc, 3 œufs, 2 cuillerées de crème épaisse, poivre.

Faire la pâte brisée. La mettre en boule et la laisser reposer au frais.

Étendre la pâte et en garnir un moule à tarte beurré et fariné au préalable. Piquer le fond. Tenir au frais.

Retirer la croûte du fromage. Écraser le fromage à la fourchette en lui incorporant le fromage blanc. Mélanger bien. Incorporer la crème, les jaunes d'œufs un à un, le poivre, puis, délicatement, les blancs battus en neige ferme. Verser cette préparation sur le fond de tarte.

Cuire à four chaud 50 à 60 mn.

TOURTE A LA VIANDE ET AUX MARRONS

(Cévennes)

Préparation : 1 h
Cuisson : 40 mn

Pâte brisée : 300 g de farine, 150 g de beurre, eau, sel (voir recette).

Farce : 300 g de filet de porc cru, 300 g de pommes (reinettes), 300 g de marrons, 2 œufs, sel, poivre, thym, laurier, 1 œuf pour dorer.

Faire une pâte brisée. La mettre en boule et la laisser reposer au frais.

Hacher le porc finement. Éplucher, épépiner et couper les pommes en lamelles minces.

Cuire les marrons épluchés à l'eau salée, aromatisée avec du thym et du laurier, 20 mn environ.

Dans une terrine, mélanger le porc haché, les pommes émincées, les marrons cuits hachés grossièrement. Incorporer 2 œufs, du sel, du poivre.

Diviser la pâte en deux parties, l'une (le fond) un peu plus grosse que l'autre qui servira de couvercle. Étendre les deux parties de la pâte au rouleau en deux abaisses rondes (fond et couvercle).

Garnir une tourtière beurrée et farinée avec la plus grande abaisse de pâte. Verser dessus la préparation de la terrine. Recouvrir de la seconde abaisse de pâte. Bien souder les bords en pressant avec les doigts, faire une cheminée au centre, décorer avec la pointe d'un couteau. Dorer à l'œuf battu. Cuire à four moyen 40 mn environ.

Note : Il existe plusieurs procédés pour éplucher les marrons. Le meilleur est celui-ci : faire une légère incision dans l'écorce brune tout autour du marron. Mettre les marrons dans une casserole d'eau bouillante. Après quelques minutes d'ébullition retirer les deux peaux.

TARTE A LA MOELLE
(recette ancienne)

Préparation : 35 mn
Cuisson : 30 mn

Pâte brisée : 250 g de farine, 125 g de beurre, eau, sel (voir recette).

Garniture : un peu de vin rouge, 50 g de pain (un petit pain), 125 g de raisins de Corinthe et de Smyrne, 1 kg d'oignons, 3 cuillerées à soupe d'huile, 2 cuillerées à soupe de sucre, sel, poivre, 2 os à moelle (environ 150 g de moelle).

Faire macérer toute la nuit les raisins dans un peu de vin rouge. Faire une pâte brisée. La mettre en boule et la laisser reposer au frais. Faire tremper le pain dans un peu d'eau. Sortir la moelle crue des os. Éplucher, hacher les oignons.

Dans une poêle, verser l'huile. Lorsqu'elle est chaude, mettre les oignons, les faire cuire lentement et très légèrement dorer. Mettre le sucre, du sel, du poivre. Ajouter le pain soigneusement égoutté, la moelle. Incorporer, en mélangeant bien, les raisins bien égouttés. Laisser sur le feu doux pour faire fondre la moelle.

Pendant ce temps, étendre la pâte au rouleau (garder un peu de pâte pour les croisillons). En garnir un moule à tarte beurré et fariné au préalable. Piquer le fond avec une fourchette.

Verser la préparation sur le fond de tarte. Bien étaler avec une spatule. Garnir avec de minces bandes de pâte disposées en croisillons. Dorer à l'œuf battu.

Cuire à four chaud 30 mn. Servir chaud.

QUICHE BRETONNE AUX MOULES

Préparation : 30 mn
Cuisson : 40 mn

> **Pâte brisée :** 250 g de farine, 125 g de beurre, eau, sel (voir recette).
>
> **Garniture :** 3/4 l de moules, quelques queues de crevettes et de langoustines, des petits morceaux de crabe, de lotte, de congre, 1/4 l de lait, 3 dl de crème fraîche, 4 œufs, fines herbes, sel, poivre, poivre de Cayenne.

Faire une pâte brisée. La mettre en boule et la laisser reposer au frais.

Brosser, laver avec soin les moules à l'eau courante. Mettre les moules dans une casserole, porter à feu vif. Laisser cuire jusqu'à ce que les moules soient ouvertes. Sortir les moules de leurs coquilles, les laisser égoutter.

Étendre la pâte, en garnir un moule beurré et fariné.

Décortiquer les crevettes, les langoustines. Hacher les fines herbes.

Dans une terrine, battre les œufs en omelette. Ajouter le lait, la crème, les fines herbes, le poivre, le sel, une pointe de poivre de Cayenne. Incorporer les moules et les morceaux de crustacés et de poissons. Verser la préparation sur le fond de tarte. Cuire à four moyen 35 à 40 mn.

Remarque : On peut utiliser d'autres coquillages ou crustacés, ou poissons de mer (selon arrivage et selon goût).

TARTE A L'OIGNON

(Alsace)

Voir photo page 49

Préparation : 25 mn
Cuisson : 30 à 40 mn

> **Pâte brisée :** 250 g de farine, 125 g de beurre, eau, sel (voir recette).
>
> **Garniture :** 50 g de farine, 4 gros oignons, 2 jaunes d'œufs, 1 œuf entier, 4 dl de crème, sel, poivre, une pointe de Cayenne et de muscade râpée.

Faire une pâte brisée. La mettre en boule et la laisser reposer au frais.

Émincer les oignons et les faire étuver au beurre, dans une poêle, c'est-à-dire les cuire à petit feu sans les dorer, en mélangeant de temps en temps de façon qu'ils soient bien fondus. Les laisser refroidir sur une assiette.

Dans une terrine, mettre la farine, verser lentement la crème en mélangeant bien, ajouter l'œuf entier, puis les deux jaunes. Assaisonner avec le sel, le poivre, la muscade, le poivre de Cayenne. Incorporer les oignons.

Étendre la pâte. En garnir un moule à tarte beurré et fariné ; y verser la préparation ci-dessus.

Faire cuire à four chaud 30 à 40 mn.

TARTE A L'OIGNON ET AU FROMAGE

Préparation : 20 mn
Cuisson : 40 mn

Pâte brisée : 250 g de farine, 125 g de beurre, eau, sel (voir recette).

Garniture : 1 gros oignon, 2 cuillerées à soupe d'huile, 500 g d'emmenthal ou de comté, 2 œufs, 1 dl de lait, 125 g de crème fraîche, sel, poivre, noix de muscade.

Faire une pâte brisée. La mettre en boule et la laisser reposer au frais.

Reprendre la pâte, l'étendre au rouleau. En garnir un moule beurré et fariné. Piquer le fond. Disposer sur le fond un papier sulfurisé rempli de légumes secs (ou de cailloux). Faire cuire à four chaud 15 mn. Retirer du four, ôter papier et légumes secs.

Pendant ce temps, préparer la garniture : dans une poêle, faire fondre (c'est-à-dire cuire doucement sans dorer) dans l'huile, l'oignon haché finement. Remuer de temps en temps. Retirer du feu.

Râper le fromage. Parsemer le fond de la tarte avec la moitié du fromage, puis avec les oignons et enfin avec le restant de fromage.

Dans un bol, battre ensemble les œufs, la crème, le lait, le sel, le poivre et un peu de muscade râpée. Verser sur la tarte.

Cuire à four chaud 25 mn environ. Servir chaud.

TARTE AUX OIGNONS ET LARDONS
(Franche-Comté)

Préparation : 20 mn
Cuisson : 40 mn

> **Pâte brisée :** 250 g de farine, 125 g de beurre, eau, sel (voir recette).
>
> **Garniture :** 250 g d'oignons, 80 g de lard de poitrine fumée, 3 dl de lait (ou crème), 4 œufs, ciboulette, persil, cerfeuil, 50 g de beurre.

Faire une pâte brisée. La mettre en boule et la laisser reposer au frais.

Émincer finement les oignons. Couper le lard en petits dés. Les faire blanchir dans l'eau bouillante quelques minutes. Égoutter.

Dans une poêle contenant le beurre chaud, faire revenir les oignons doucement, sans colorer. Ajouter les lardons, laisser cuire 10 mn. Incorporer ensuite les fines herbes hachées.

Étendre la pâte au rouleau. En garnir un moule à tarte beurré et fariné. Dans une terrine, battre les œufs, ajouter le lait, saler, poivrer.

Disposer sur le fond de tarte le mélange lardons et oignons, puis recouvrir avec le mélange lait-œufs.

Cuire à four chaud 35 à 40 mn.

PISSALADIÈRE

Voir photo page 48

Préparation : 30 mn
Cuisson : 20 mn (garniture)
        20 mn (tarte)

Pâte brisée : 250 g de farine, 125 g de beurre, eau, sel (voir recette).

Garniture : 1 kg d'oignons, 3 cuillerées d'huile d'olive, 15 à 20 filets d'anchois à l'huile, 20 olives noires, sel, poivre.

Éplucher les oignons, les émincer (pas trop fin). Dans une poêle, faire chauffer l'huile, y mettre les oignons, les faire « fondre », c'est-à-dire cuire doucement, sans les dorer 15 à 20 mn environ. Saler et poivrer.

Pendant la cuisson des oignons, préparer la pâte brisée. Réserver un peu de pâte qu'on étend pour former les lanières de garniture.

Étendre le restant de pâte au rouleau et en garnir un moule à tarte huilé et fariné (ou étaler sur la tôle du four). Verser la purée d'oignons cuits sur la pâte, lisser avec la spatule, garnir avec les filets d'anchois.

Disposer les lanières de pâte en croisillons sur la tarte. Enfoncer les olives noires dans la purée d'oignons.

Cuire à four chaud 20 mn environ.

Remarque : La pissaladière peut se faire, comme la pizza, avec une pâte à pain (ancienne recette niçoise).

PIZZA NAPOLITAINE

Préparation : 15 mn + 10 mn — pâte : 2 h d'attente
Cuisson : 25 à 30 mn (pizza)
                    30 mn (tomates)

Pâte : 500 g de farine, 3 cuillerées à soupe d'huile d'olive, 20 g de levure de boulanger, eau.

Garniture : 500 g de tomates, 100 g d'olives noires, 3 cuillerées d'huile d'olive, 10 filets d'anchois, 200 g de mozarella (fromage italien), origan sec ou frais, 2 gousses d'ail, sel, poivre, basilic (facultatif).

Délayer la levure dans un peu d'eau tiède. Sur une table farinée, déposer la farine avec le sel, faire une fontaine. Mouiller avec l'eau contenant la levure. Pétrir avec les mains en ajoutant l'huile (trois cuillerées) et l'eau, selon besoin, jusqu'à ce que la pâte soit lisse et souple. Mettre la pâte en boule, couvrir et laisser lever dans un endroit tiède. Au bout de deux ou trois heures la pâte doit avoir doublé de volume.

Pendant ce temps, peler, épépiner les tomates. Les couper en quartiers. Mettre le tout à fondre doucement dans l'huile, dans une casserole sur le feu, pendant 30 mn environ. Écraser les gousses d'ail, les ajouter aux tomates, saler.

Reprendre la pâte, la pétrir légèrement pour la vider de son air. Étendre la pâte au rouleau (sur 1/2 cm d'épaisseur). En garnir un moule à tarte huilé (huile d'olive) ou former un disque à la main et le poser sur la tôle huilée du four. Remonter les bords de la pâte en rouleau.

Étaler sur la pâte la fondue de tomates. Disposer les filets d'anchois entrecroisés, la mozarella en tranches et les olives. Saupoudrer d'origan, de poivre et de basilic haché, arroser d'huile d'olive.

Mettre à four chaud 25 à 30 mn. Servir chaud.

PIZZA DU TESSIN

Préparation : 20 mn
Cuisson : 20 mn

Pâte à pain : voir recette de la pizza napolitaine.

Garniture : moutarde à l'estragon, 500 g de tomates, 150 g d'emmenthal, huile d'olive, origan, sel, poivre.

Préparer la pâte comme pour la pizza napolitaine. L'étaler sur la plaque huilée du four en lui donnant une forme ronde d'1/2 cm d'épaisseur.

Couper les tomates en rondelles, les saler pour les faire dégorger d'eau.

Tartiner la tarte de moutarde à l'estragon. Recouvrir entièrement la pizza de lamelles d'emmenthal pas trop fines. Mettre au-dessus les tranches de tomates égouttées. Saupoudrer d'origan, de sel, de poivre et arroser d'huile d'olive.

Faire cuire à four très chaud 20 mn. Servir très chaud.

QUICHE AUX PETITS POIS

Préparation : 20 mn
Cuisson : 25 mn

> **Pâte brisée :** 250 g de farine, 125 g de beurre, eau, sel (voir recette).
>
> **Garniture :** 150 g de jambon cuit (3 tranches environ), 8 cuillerées de crème fraîche, 3 œufs, 40 g de beurre, 250 g de petits pois fins cuits (1/2 boîte), noix de muscade, sel, poivre.

Préparer la pâte brisée. La mettre en boule et la laisser reposer au frais. Étendre la pâte au rouleau. En garnir un moule à tarte beurré et fariné, piquer le fond. Disposer sur le fond de la tarte les lamelles de jambon.

Battre dans une terrine les œufs en omelette, ajouter les petits pois bien égouttés, la crème, du sel, du poivre et un peu de noix de muscade râpée. Verser ce mélange sur la tarte.

Cuire à four chaud 25 mn.

TARTE AUX POIREAUX GRAND-MÈRE

Préparation : 20 mn
Cuisson : 25 à 30 mn

> **Pâte brisée :** 250 g de farine, 125 g de beurre, eau, sel (voir recette).
>
> **Garniture :** 5 œufs, 500 g de poireaux, 1/2 l de crème fraîche, sel, poivre, noix de muscade, 50 g de beurre.

Faire la pâte brisée. La mettre en boule et la laisser reposer au frais.

Éplucher, laver, émincer les poireaux. Dans une poêle, les faire revenir dans le beurre jusqu'à ce qu'ils soient bien dorés.

Étendre la pâte au rouleau. En garnir un moule à tarte beurré et fariné. Piquer le fond avec une fouchette.

Préparer la garniture : dans une terrine, battre les œufs entiers, ajouter la crème, le sel, le poivre, un peu de noix de muscade râpée. Incorporer les poireaux cuits. Verser cette préparation sur la tarte.

Cuire à four chaud 25 mn environ. Servir chaud.

FLAMICHE AUX POIREAUX

(Picardie)

Préparation : 30 mn
Cuisson : 30 mn

> **Pâte brisée :** 250 g de farine, 125 g de beurre, sel, 1 œuf (ou 1/2 verre d'eau) (voir recette).
>
> **Garniture :** 2,5 kg de poireaux, 70 g de beurre, 250 g de jambon cuit (facultatif), 1/4 l de crème fraîche, 1/4 l de lait, 4 œufs, sel, poivre, noix de muscade râpée.

Préparer la pâte brisée. La mettre en boule et la laisser reposer au frais (30 mn environ).

Étendre la pâte au rouleau. En garnir un moule à tarte beurré et fariné. Piquer le fond. La laisser au frais.

Éplucher les poireaux (ne garder que le blanc), les laver. Les couper en petits morceaux de 2 à 3 cm. Dans une poêle, faire cuire doucement dans du beurre, à petit feu, les poireaux. Remuer souvent car ils doivent cuire sans dorer (environ 5 à 6 mn).

Hacher grossièrement le jambon. Disposer sur le fond de tarte le jambon, les poireaux cuits.

Dans une terrine, battre ensemble les 4 œufs entiers, la crème, le lait, le sel, le poivre, un peu de noix de muscade râpée. Verser ce mélange sur la tarte.

Cuire à four moyen 30 mn.

« PIE » DE POULET

« Chicken-Pie » (Grande-Bretagne)

Préparation : 35 mn
Cuisson : 1 h 30

> **300 g de pâte feuilletée** fraîche (voir recette) ou prête ou surgelée.
> **Garniture :** 1 poulet de 1,300 kg environ, découpé en morceaux, 40 g de beurre, 2 oignons, 2 échalotes, 125 g de champignons de Paris, 150 g de lard fumé, 4 œufs durs, 750 g de veau (épaule), 4 branches de persil, 1 branche de thym, 2 verres de bouillon de poule.

Hacher les oignons, les échalotes et les herbes. Nettoyer les champignons et les émincer. Découper le veau en fines lanières et le lard en dés. Cuire les œufs durs.

Dans une casserole, faire fondre le beurre. Y mettre les oignons, les échalotes et les champignons. Faire revenir sur feu doux, sans colorer, saler, poivrer. Ajouter les herbes hachées.

Dans un plat allant au four (ou plat à pie), disposer les lanières de veau, saler, poivrer. Mettre une couche de morceaux de poulet intercalés de dés de lard, la moitié des œufs durs coupés en deux (sens de la longueur), une couche de hachis, saler et poivrer légèrement. Remettre le reste de poulet et le reste des garnitures. Mouiller avec le bouillon. Parsemer de copeaux de beurre.

Étendre la pâte sur 4 mm d'épaisseur à la forme et aux dimensions du plat. Découper une bande de pâte. Coller cette bande sur le bord du plat avec du blanc d'œuf. Mouiller le dessus de la bande avec du blanc d'œuf. Appliquer alors le couvercle de pâte. Dorer la surface à l'œuf battu. Décorer à l'aide d'une pointe de couteau. Faire au centre une ouverture qui sera tenue ouverte par un rouleau de papier. Par cette cheminée, la vapeur pourra s'échapper.

Cuire à four moyen 1 h 30.

QUICHE AUX TOMATES

Préparation : 25 mn
Cuisson : 45 à 50 mn

> 400 g de **pâte feuilletée** ou pâte brisée (voir recette).
>
> **Garniture :** 500 g de tomates, 4 dl de crème épaisse, 6 œufs, sel, poivre, 60 g de comté ou emmenthal râpé.

Peler, épépiner les tomates, les hacher grossièrement, les saler et les mettre à égoutter dans une passoire fine.

Dans une terrine, battre les œufs entiers. Ajouter lentement la crème. Incorporer le fromage râpé (en réserver 2 cuillerées à soupe), poivrer, saler s'il y a lieu.

Étendre la pâte, en garnir un moule à tarte beurré et fariné au préalable. Rouler le bord en torsades, le rayer avec la pointe d'un couteau. Le dorer à l'œuf battu.

Ajouter les tomates égouttées à la préparation de la terrine, bien mélanger. Verser sur le fond de la tarte. Saupoudrer du fromage râpé restant.

Mettre à four moyen 45 à 50 mn. Servir chaud.

TARTE AU THON

Préparation : 20 mn
Cuisson : 25 à 30 mn

> **Pâte brisée :** 250 g de farine, 125 g de beurre, eau, sel (voir recette) ou pâte feuilletée (400 g).
>
> **Garniture :** 400 g de thon frais cuit ou en boîte au naturel, sel, poivre, une brindille de thym, 3 œufs, 1/2 l de crème fraîche, 50 g de gruyère râpé.

Faire une pâte brisée. La mettre en boule et la laisser reposer au frais.

Égoutter, émietter grossièrement le thon. Dans une terrine, battre les œufs en omelette, ajouter la crème, le sel, le poivre, le thym effeuillé. Incorporer le thon.

Étendre la pâte au rouleau. En garnir un moule à tarte beurré et fariné. Verser la préparation sur le fond de tarte. Saupoudrer du gruyère râpé.

Cuire à four chaud 25 mn environ.

Cuisson du thon frais :

Faire couper le thon en tranches, les assaisonner et les enduire légèrement d'huile. Les faire griller au four ou sur un grill des deux côtés (environ 25 mn). Lorsque le thon est doré l'émietter après avoir retiré la peau et les arêtes. (On peut aussi laisser le thon deux heures dans une petite marinade de vin blanc avant de le faire griller).

TOURTE AU ROQUEFORT

Préparation : 30 mn
Cuisson : 1 h 50

500 g de **pâte feuilletée** (voir recette).

Garniture : 1 kg de pommes de terre, 3 échalotes, 2 gousses d'ail, 2 cuillerées de persil haché, 200 g de roquefort, 250 g de champignons, 25 g de beurre, 1/2 verre de vin blanc, 3 cuillerées de crème fraîche, sel, poivre.

Faire la pâte. L'étendre au rouleau, la diviser en deux parts, l'une (plus grande) servira de fond, l'autre de couvercle. En garnir une tourtière (moule à bord un peu haut) beurrée et farinée. Laisser dépasser tout autour du moule 1 à 2 cm de pâte. Étendre le restant de pâte en rond (couvercle).

Éplucher les pommes de terre. Les laver, les essuyer, les couper en rondelles fines. Couper le bout terreux des champignons, les laver, les couper en lamelles. Les faire cuire dans une petite casserole avec beurre, sel et poivre. Hacher les échalotes et l'ail, les faire cuire lentement dans le vin blanc. Hacher le persil.

Sur le fond de la pâte, disposer une couche de pommes de terre, le sel et le poivre, puis mettre sur toute la surface les échalotes et l'ail cuits, le persil haché et le roquefort coupé en petits morceaux. Terminer par une nouvelle couche de pommes de terre, sel et poivre.

Placer le couvercle de pâte sur la dernière couche de pommes de terre. Replier le bord de la pâte tout autour en la soudant avec les doigts. Faire un trou au centre de la tourte, le maintenir ouvert à l'aide d'un petit papier enroulé. Dorer à l'œuf battu.

Faire cuire à four chaud 15 à 20 mn, puis continuer à four moyen 1 h 30. Au sortir du four, verser par l'orifice 3 cuillerées de crème fraîche.

QUICHE AUX RILLETTES
(Touraine)

Préparation : 30 mn
Cuisson : 15 à 20 mn

Pâte brisée : 250 g de farine, 125 g de beurre, 1 œuf (voir recette).

Garniture : 125 g de rillettes, 250 g de rillons, 2 œufs, 1 verre de lait, 1/2 verre de crème fraîche, sel, poivre, 1 cuillerée à café de persil haché.

Faire la pâte brisée. La mettre en boule et la laisser reposer au frais. Étendre la pâte au rouleau. En garnir un moule à tarte beurré et fariné. Piquer le fond.

Étaler sur le fond de la tarte les rillettes, y disposer les rillons désossés et coupés en petits morceaux. Saupoudrer de persil haché.

Dans une terrine, battre 2 œufs en omelette, ajouter le lait chaud puis la crème. Verser ce mélange sur la tarte.

Cuire à four chaud 15 à 20 mn.

TOURTE DE VEAU

Voir photo page 49

Préparation : 20 mn
Cuisson : 55 mn

> **500 g de pâte feuilletée** (voir recette).
>
> **Garniture :** 400 g de veau (noix), 400 g de jambon blanc. Marinade :
> 1/2 bouteille de vin blanc sec, persil, cerfeuil, 2 échalotes, 1 feuille
> de laurier, 1 branche de thym, sel, poivre, noix de muscade,
> 3 cuillerées de crème fraîche, 2 œufs.

Détailler la viande de veau en fines lamelles et le jambon
en dés. Mettre dans une terrine et faire mariner avec le vin,
les épices et les herbes pendant au moins 2 h.

Étendre les deux tiers de la pâte. En garnir une tourtière
beurrée, ne pas couper l'excès de pâte autour du moule.

Sortir les viandes de la marinade, les égoutter, les disposer
sur le fond de pâte. Étendre le reste de pâte qui formera
le couvercle. Le poser sur la tourtière. Avec les doigts
mouillés, souder fond et couvercle en formant un bourrelet.
Percer un trou au milieu du couvercle pour former une
cheminée. Dorer à l'œuf battu et décorer avec la pointe fine
d'un couteau.

Cuire à four chaud 45 mn.

Dans une terrine, mélanger 2 œufs entiers et 3 cuillerées
de crème fraîche. Assaisonner et introduire ce mélange par
la cheminée à l'aide d'un entonnoir. Remettre la tourte au
four 10 mn environ. Servir chaud.

Variante : On peut remplacer le jambon par de la viande
de porc (filet).

« PIE » DE VEAU AUX OLIVES

Préparation : 30 mn
Cuisson : 35 à 40 mn

> **500 g de pâte feuilletée** fraîche (voir recette), ou pâte feuilletée toute prête ou surgelée.
>
> **Garniture :** 800 g de veau (quasi ou noix), 250 g de champignons, 3 carottes, 2 échalotes, un verre de madère, 100 g d'olives dénoyautées, 60 g de beurre, sel, poivre, 2 cuillerées à soupe d'huile, 2 cuillerées à soupe de crème.

Couper la viande en petits morceaux (cubes de 2 à 3 cm). Éplucher les carottes et les échalotes, les émincer. Nettoyer les champignons, les couper en lamelles.

Dans une casserole, mettre dans du beurre chaud (40 g) les carottes, les échalotes et les champignons. Laisser cuire doucement pendant 10 à 15 mn, sans colorer. Ajouter le madère et les olives. Laisser bouillir 1 mn.

Dans une casserole, chauffer l'huile et le beurre restant (20 g), faire revenir à feu vif les morceaux de veau pendant 10 mn. Saler, poivrer, ajouter les légumes de la casserole. Mélanger et vérifier l'assaisonnement.

Étendre la pâte feuilletée en rond, de la dimension de la tourtière qu'elle va recouvrir. Verser la préparation dans la tourtière. Recouvrir avec la pâte feuilletée. Faire un petit bourrelet tout autour pour bien enserrer les bords du moule. La pâte doit former couvercle. Percer un petit trou au centre pour que la vapeur puisse s'échapper. Maintenir l'orifice ouvert avec un morceau de papier roulé. Dorer à l'œuf battu.

Cuire à four moyen 35 à 40 mn. Sortir du four. Enlever le morceau de papier. Verser par l'orifice la crème fraîche tiédie. Servir chaud dans le plat de cuisson.

TOURTE BOURBONNAISE

(pommes de terre et veau)

Préparation : 30 mn
Cuisson : 45 à 50 mn

> 500 g de **pâte feuilletée** fraîche (voir recette) ou 2 paquets de pâte surgelée.
>
> **Garniture :** 500 g de pommes de terre, 5 échalotes grises, 40 g de beurre, fines herbes : cerfeuil, persil, ciboulette ; 150 g de filet de veau, sel, poivre, 1 œuf pour dorer, 4 cuillerées de crème fraîche.

Faire la pâte feuilletée. Diviser la pâte en deux parties, l'une un peu plus grosse que l'autre. Les étendre au rouleau en deux abaisses rondes, l'une de 30 cm environ, l'autre de 20 cm.

Éplucher et hacher les échalotes, les faire fondre au beurre dans une petite casserole, c'est-à-dire cuire doucement sans prendre couleur.

Éplucher et couper les pommes de terre en rondelles très minces. Émincer le veau en petits morceaux. Ciseler les fines herbes. Mélanger dans une terrine, pommes de terre, veau, échalotes, fines herbes, sel et poivre.

Poser la plus grande abaisse sur une plaque du four. Étaler sur le fond de pâte la préparation de la terrine, en laissant libre 2 à 3 cm de pâte au bord.

Recouvrir de la seconde abaisse qui formera le couvercle. Souder bien avec les doigts les deux abaisses en retournant les bords. Faire un trou au centre du couvercle. Dorer à l'œuf battu et décorer la surface à l'aide d'une fourchette ou de la pointe d'un couteau.

Cuire à four moyen 30 mn. Faire chauffer la crème et la verser par le trou dans la tourte. Continuer la cuisson encore 15 à 20 mn. Servir chaud ou tiède.

TOURTE DE VIANDE DE LA VALLÉE DE MUNSTER

Préparation : 45 mn
Cuisson : 50 à 60 mn environ

Pâte brisée : 400 g de farine, 200 g de beurre, eau, sel (voir recette) ou 600 g de pâte demi-feuilletée (voir recette).

Farce : 700 g de porc maigre, 1 petit pain au lait, 1 oignon, 1 gousse d'ail, sel fin, poivre, 1 œuf, un peu de muscade râpée, 30 g de beurre, un peu do lait.

Faire une pâte brisée (ou demi-feuilletée). Faire tremper le pain dans du lait bouillant.

Dans une casserole sur le feu, faire suer l'oignon et l'ail émincés dans du beurre. Hacher grossièrement la viande et le pain. Mélanger avec l'oignon et l'ail hachés, le sel et les épices. Ajouter l'œuf et bien travailler le tout.

Avec les deux tiers de la pâte, faire au rouleau une abaisse de 3 mm d'épaisseur. Étaler la pâte sur un plat à tourte beurré et fariné. Disposer la farce sur le fond. Relever le bord de l'abaisse et le badigeonner avec un peu de blanc d'œuf.

Recouvrir d'une deuxième abaisse de pâte (le tiers restant). Appuyer sur le bord de la première afin de bien souder fond et couvercle. Faire une petite cheminée d'évaporation au milieu du couvercle avec un petit rouleau de papier.

Badigeonner au jaune d'œuf et décorer le dessus en le rayant avec une fourchette.

Cuire 50 à 60 mn dans un four chaud. Servir chaud.

On peut aussi utiliser pour la farce moitié viande de veau, moitié viande de porc.

TOURTE BOURGUIGNONNE

(à la viande)

Préparation : 40 mn
Cuisson : 45 à 50 mn

Pâte brisée : 500 g de farine, 250 g de beurre, eau, sel (voir recette).

Farce : 500 g de poitrine de porc fraîche, 500 g de veau dénervé, sel, poivre, 1 cuillerée de persil haché, 1 dl de vin blanc aligoté, 1 petit verre à liqueur de fine bourgogne.

Faire la pâte brisée. La mettre en boule et la laisser reposer au frais (2 h au moins).

Hacher grossièrement le porc et le veau. Mettre ce hachis dans une terrine. Ajouter le persil haché, le sel, le poivre, le vin blanc, la fine bourgogne.

Diviser la pâte en deux (une partie un peu plus grande que l'autre), les étendre au rouleau. Garnir une tourtière beurrée et farinée avec la plus grande moitié.

Poser sur le fond de la tourte la farce roulée en boulettes de la grosseur d'un petit œuf en laissant un espace entre chaque boulette. Mouiller légèrement les bords de la pâte. Recouvrir avec le reste de pâte formant couvercle, souder les bords avec les doigts et les retrousser en bourrelet.

Dorer à l'œuf battu et décorer en rayant avec une fourchette. Faire un trou au centre du couvercle, maintenir cet orifice ouvert avec un bristol roulé en cylindre. Par cette cheminée les vapeurs pourront s'échapper à la cuisson.

Cuire à four moyen 45 mn environ. Se mange chaude ou froide.

QUICHE AU SAUMON FUMÉ

Préparation : 40 mn
Cuisson : 30 mn (quiche)
        10 mn (poireaux)

> **Pâte brisée :** 250 g de farine, 125 g de beurre, eau, sel (voir recette).
>
> **Garniture :** 4 poireaux, 200 g de saumon fumé, 5 œufs, 3 cuillerées à soupe de crème fraîche, 20 g de beurre, sel, poivre.

Faire une pâte brisée. La mettre en boule et la laisser reposer au frais.

Éplucher les poireaux, garder très peu de vert. Les laver, les égoutter soigneusement, les couper en rondelles fines. Au beurre, dans une casserole, faire fondre les poireaux, c'est-à-dire cuire doucement 8 à 10 mn sans colorer.

Couper le saumon en lanières fines.

Dans une terrine, battre les œufs en omelette, incorporer la crème, les poireaux et le saumon. Saler, poivrer, mélanger et vérifier l'assaisonnement.

Étendre la pâte au rouleau. En garnir un moule à tarte beurré et fariné. Verser sur le fond de tarte la préparation au saumon.

Mettre à four chaud 30 mn environ. Servir tiède.

QUICHE AU CRABE

Préparation : 15 mn
Cuisson : 30 mn

> **Pâte brisée :** 250 g de farine, 125 g de beurre, eau, sel (voir recette).
>
> **Garniture :** une boîte de crabe de 250 à 300 g, 2 dl de crème, 4 œufs, sel, poivre, un peu de noix de muscade râpée.

Faire une pâte brisée. La mettre en boule et la laisser reposer au frais.

Étendre la pâte au rouleau, en garnir un moule à tarte beurré et fariné. Piquer le fond avec une fourchette. Faire cuire 10 mn à four chaud.

Retirer les morceaux de cartilage qui entoure la chair du crabe. Émietter la chair du crabe.

Dans une terrine battre les œufs entiers en omelette. Ajouter la crème en continuant de battre. Incorporer le crabe émietté, le sel, le poivre, la noix de muscade râpée.

Sortir la quiche du four. Verser la garniture sur le fond.

Remettre à four moyen 20 mn pour achever la cuisson.

Servir chaud.

Remarque : On peut choisir, pour cette recette, du crabe vivant (2 tourteaux de 700 g environ). Il faut alors le cuire au court-bouillon (20 mn) et le décortiquer patiemment pour en retirer toute la chair.

TARTES SUCRÉES

tourtes, « pies », galettes...

TARTE AUX ABRICOTS

Voir photo page 96

Préparation : 15 mn
Cuisson : 40 mn

Pâte brisée : 250 g de farine, 125 g de beurre, sucre, eau, sel (voir recette).

Garniture : 1 kg d'abricots bien mûrs, frais (ou à défaut abricots au sirop), 3 cuillerées à soupe de sucre, quelques biscottes ou biscuits (environ 30 g).

Faire une pâte brisée. La mettre en boule. La laisser reposer au frais. Laver, sécher et dénoyauter les abricots en les coupant en deux.

Écraser grossièrement les biscuits ou biscottes.

Étendre la pâte au rouleau. En garnir un moule à tarte beurré et fariné. Piquer le fond. Parsemer le fond avec les biscottes ou les biscuits écrasés qui absorberont l'excédent du jus des abricots. Saupoudrer de deux cuillerées de sucre en poudre. Disposer les demi-abricots sur le fond de la tarte en les faisant un peu se chevaucher (le côté peau sur la pâte). Cuire à four chaud 15 mn, puis continuer à four moyen 25 mn.

Servir tiède ou froid.

Remarque : Au sortir du four, on peut saupoudrer de sucre glace si les abricots sont acides. On peut employer aussi pour cette tarte une pâte sablée ou une pâte feuilletée.

TARTE AUX ABRICOTS
(avec crème)

Préparation : 25 mn
Cuisson : 40 à 45 mn

> **Pâte brisée :** 250 g de farine, 125 g de beurre, sucre, eau, sel (voir recette).
>
> 750 g d'abricots frais et bien mûrs.
>
> **Crème :** 3 jaunes d'œufs, 150 g de sucre, 50 g de beurre, 100 g d'amandes râpées, 1 paquet de sucre vanillé, quelques amandes effilées pour garnir.

Préparer la pâte brisée. La mettre en boule. La laisser reposer au frais.

Préparer la crème. Dans une terrine, travailler les jaunes d'œufs et le sucre. Quand le mélange est jaune clair et mousseux, incorporer le beurre ramolli, les amandes râpées.

Étendre la pâte au rouleau. En garnir un moule à tarte beurré et fariné. Piquer le fond avec une fourchette.

Laver les abricots, les sécher, ôter les noyaux.

Verser la crème aux amandes sur le fond de pâte.

Disposer les demi-abricots sur la crème (le côté peau sur la crème).

Faire cuire à four chaud 40 mn environ.

Saupoudrer de sucre glace et d'amandes effilées la surface de la tarte.

Remettre à four très chaud pour caraméliser.

TARTE AUX ABRICOTS A L'ENVERS

Préparation : 20 mn
Cuisson : 50 mn

> **Pâte brisée :** 250 g de farine, 125 g de beurre, sucre, eau, sel (voir recette).
>
> **Garniture :** 750 g d'abricots, 100 g de beurre, 4 cuillerées à soupe de sucre.

Préparer la pâte brisée. La mettre en boule. La laisser reposer au frais.

Laver, sécher, dénoyauter les abricots en les coupant en deux.

Étaler sur toute la surface d'un moule ou d'un plat à gratin en verre le beurre ramolli. Saupoudrer avec 3 cuillerées de sucre.

Disposer les demi-abricots en rangs serrés sur le fond du moule, côté peau sur le sucre. Poser le moule sur le feu. Les abricots doivent cuire doucement à chaleur régulière, 15 mn, jusqu'à ce que se forme un caramel blond. Saupoudrer d'une cuillerée de sucre en poudre. Parsemer de petits morceaux de beurre (50 g).

Étaler la pâte au rouleau. La disposer sur le moule en rentrant un peu le pourtour dans l'intérieur du moule.

Faire cuire la tarte à four chaud 30 à 35 mn environ.

Sortir la tarte ; au bout de 5 à 10 mn la retourner sur un plat à tarte. Attendre que la tarte se démoule toute seule pour retirer le moule.

Servir tiède.

TARTE A L'ANANAS
(pâte brisée)

Préparation : 35 mn
Cuisson : 15 à 20 mn

Pâte brisée : 250 g de farine, 125 g de beurre, eau, sucre, sel (voir recette).

500 g d'ananas frais ou au sirop en boîte.

Crème pâtissière : 3 jaunes d'œufs, 75 g de sucre, 30 g de farine (ou maïzena), 1/4 l de lait, 3 cuillerées à soupe de rhum, 50 g de beurre.

Préparer la pâte brisée. La mettre en boule. La laisser reposer au frais.

Étendre la pâte au rouleau. En garnir un moule à tarte beurré et fariné. Piquer le fond avec une fourchette. La faire cuire « à blanc », c'est-à-dire sans garniture en disposant des haricots secs (ou des cailloux) sur un papier sulfurisé étendu au fond du moule sur la pâte.

Cuire à four chaud 15 à 20 mn.

Retirer du four. Oter papier et haricots. Démouler et laisser refroidir sur une grille.

Préparer la crème pâtissière : dans une terrine, fouetter les jaunes et le sucre jusqu'à ce que le mélange blanchisse. Ajouter la farine puis le lait bouillant en fouettant doucement. Mettre dans une casserole sur feu doux en tournant jusqu'à épaississement. Après quelques bouillons, ajouter le rhum. Laisser refroidir.

Égoutter les tranches d'ananas.

Dans une poêle, faire fondre le beurre. Ajouter les rondelles d'ananas et un peu de sucre pour faire dorer. Les rondelles d'ananas doivent dorer et caraméliser.

Hors du feu, verser un peu de rhum dans la poêle et flamber.

Étendre la crème pâtissière sur le fond de la pâte. Y disposer les rondelles d'ananas.

TARTE A L'ANANAS
(pâte feuilletée)

Préparation : 35 mn
Cuisson : 35 mn

> 300 g de **pâte feuilletée** (voir recette).
>
> 500 g d'ananas frais ou au sirop en boîte.
>
> **Crème pâtissière :** 1/4 l de lait, 3 jaunes d'œufs, 75 g de sucre en poudre, 20 g de maïzena (ou farine), 1 sachet de sucre vanillé, 1 petit verre à liqueur de kirsch, marmelade d'abricots.

Faire la crème pâtissière. Dans une terrine, fouetter les jaunes d'œufs et le sucre jusqu'à ce que le mélange blanchisse. Ajouter la maïzena puis le lait bouillant en fouettant doucement. Mettre dans une casserole, sur feu doux, en tournant jusqu'à épaississement de la crème. Laisser bouillir la crème une minute en la fouettant.

La laissez refroidir en la remuant de temps en temps pour éviter la formation d'une peau à la surface. Lorsqu'elle est froide, ajouter le kirsch.

Étendre la pâte sur 2 mm d'épaisseur en une bande de 20 cm de large et de la longueur du four.

Découper de chaque côté de la pâte deux bandes de 1,5 à 2 cm de large.

Mouiller légèrement la plaque du four. Y disposer la large bande de pâte. Poser dessus, de chaque côté, les deux bandes étroites en les collant à l'eau ou à l'œuf battu, pour former la bordure de la tarte. Sur l'extérieur, faire des stries en biais avec un couteau. Piquer le fond avec une fourchette.

Étendre une couche mince de crème pâtissière sur le fond de la pâte.

Faire cuire à four chaud 15 mn, puis à four moyen 20 mn. Retirer la tarte du four.

Recouvrir la tarte de la crème pâtissière restante. Couvrir avec les rondelles d'ananas au sirop ou frais, bien égouttées.

Napper d'un peu de marmelade d'abricots tiédie, passée au pinceau.

TARTE A LA BANANE

Préparation : 25 mn
Cuisson : 35 mn

Pâte brisée : 250 g de farine, 125 g de beurre, sucre, sel, poivre (voir recette).

8 bananes.

Crème : 2 œufs, 125 g de sucre, 100 g d'amandes en poudre, 1 citron, 3 cuillerées à soupe de rhum.

Faire une pâte brisée. La mettre en boule. La laisser reposer au frais.

Peler et couper les bananes en rondelles ; les mettre dans une jatte avec le rhum et la moitié du jus de citron et une cuillerée de sucre. Laisser macérer.

Étaler la pâte au rouleau. En garnir un moule à tarte beurré et fariné. Piquer le fond. Le couvrir d'un papier sulfurisé recouvert de légumes secs (ou cailloux) pour la cuire « à blanc » sans garniture.

Faire cuire à four moyen 10 mn environ.

Préparer la crème. Dans une terrine, battre les œufs avec le sucre restant jusqu'à ce que le mélange blanchisse. Ajouter les amandes en poudre et l'autre moitié du jus de citron. Ajouter le jus de macération des bananes.

Retirer la tarte du four. Oter les légumes secs et le papier. Disposer sur le fond les rondelles de bananes en cercle en les faisant se chevaucher. Recouvrir avec la crème.

Mettre à four chaud 20 à 25 mn.

TARTE DES ANTILLES AUX BANANES

Préparation : 20 mn
Cuisson : 20 à 25 mn

Pâte brisée : 250 g de farine, 125 g de beurre, sucre, eau, sel (voir recette). On peut aussi utiliser une pâte sablée.

6 bananes, 3 petits verres à liqueur de rhum, 1 1/2 verre d'eau, 150 g de sucre semoule.

Crème pâtissière : 1/4 l de lait, 3 jaunes d'œufs, 75 g de sucre en poudre, 25 g de maïzena ou farine, 1 paquet de sucre vanillé.

Faire la pâte brisée. La mettre en boule. La laisser reposer au frais.

Peler et couper les bananes en rondelles.

Dans une grande sauteuse, mettre l'eau, le sucre, le rhum. Faire bouillir. Ajouter délicatement les bananes. Les laisser cuire doucement 10 mn (les rondelles doivent rester intactes).

Étendre la pâte au rouleau. En garnir un moule à tarte beurré et fariné. Piquer le fond et le couvrir d'un papier sulfurisé recouvert de légumes secs.

Cuire à four moyen 20 à 25 mn.

Pendant ce temps, préparer la crème pâtissière. Dans un grand bol, fouetter les jaunes d'œufs et les sucres jusqu'à ce que le mélange blanchisse. Ajouter la maïzena. Verser le lait bouillant sur le mélange en remuant. Mettre sur le feu ; laisser épaissir en fouettant vigoureusement. Retirer après le premier bouillon.

Laisser refroidir en remuant de temps en temps (pour éviter qu'une peau ne se forme à la surface).

Démouler la tarte, ôter les légumes secs et le papier.

Lorsque la tarte est tiède, y étendre la crème pâtissière. Garnir avec les bananes égouttées. Napper avec une confiture de fruits légèrement tiédie, mélangée au sirop de bananes restant dans la casserole (facultatif).

TARTE CANNELÉE AUX BANANES
ou TARTE DES ILES

Préparation : 20 mn
Cuisson : 20 à 25 mn

Pâte brisée : 250 g de farine, 125 g de beurre, sucre, eau, sel (voir recette).

Garniture : 10 bananes, 2 citrons, 4 cuillerées de rhum, 150 g de sucre, un peu de cannelle en poudre et de muscade râpée.

Préparer la pâte brisée. La mettre en boule. La laisser reposer au frais.

Étendre la pâte. En garnir un moule à tarte beurré et fariné. Piquer le fond. Le couvrir d'un papier sulfurisé recouvert de légumes secs (ou cailloux). Cuire à four moyen 20 mn environ.

Peler les bananes. Écraser 8 bananes en purée avec une fourchette. Les mettre dans une casserole, sur feu moyen avec le sucre. Remuer. Lorsqu'elles commencent à se colorer en brun clair, ajouter la cannelle, la muscade, 2 cuillerées de rhum et le jus des citrons.

Retirer la tarte du four. Oter les légumes secs et le papier. Étaler la crème de bananes sur la tarte.

Découper les 2 bananes restantes en lamelles longues dans le sens de la longueur.

Décorer votre tarte avec ces lamelles en faisant des croisillons.

Mettre au four (position gril) pour dorer.

Sortir la tarte du four, verser sur la surface un peu de rhum tiède. Faire flamber.

TARTE ALSACIENNE A LA CANNELLE

Préparation : 30 mn
Cuisson : 30 à 35 mn

Pâte brisée : 250 g de farine, 125 g de beurre, eau, sel, 30 g de sucre (voir recette).

Garniture : 1/4 l de crème épaisse, 3 œufs, 100 g de sucre, 1 cuillerée à soupe de cannelle en poudre, un peu d'extrait de vanille liquide.

Préparer la pâte brisée. La mettre en boule. La laisser reposer au frais.

L'étendre et en garnir un moule à tarte beurré et fariné. Piquer le fond avec les dents d'une fourchette.

Dans une terrine, battre les œufs et le sucre pendant quelques instants, ajouter la cannelle, la crème et la vanille. Bien mélanger. Verser ce flan au fond de la tarte.

Mettre à four chaud environ 30 mn.

TARTE AU CAFÉ
(Italie)

Préparation : 30 mn
Cuisson : 25 mn

Pâte sablée : 250 g de farine, 175 g de beurre, 80 g de sucre en poudre, 1 œuf, 1 pincée de sel (voir recette).

Crème : 3 jaunes d'œufs, 225 g de sucre, 150 g d'amandes en poudre, 75 g de beurre, 2 cuillerées à soupe d'extrait de café, kirsch.

Préparer la pâte brisée. La mettre en boule et la laisser reposer au frais.

Étendre la pâte au rouleau sur 1/2 cm d'épaisseur. En garnir un moule à tarte beurré et fariné. Piquer le fond. Étaler sur ce fond un papier sulfurisé recouvert de légumes secs ou de cailloux.

Cuire à four chaud 25 mn environ.

Pendant ce temps, préparer la crème. Dans une terrine, mettre les jaunes d'œufs, les battre avec le sucre jusqu'à ce que le mélange devienne blanc et mousseux.

Ajouter l'extrait de café, le beurre ramolli, la poudre d'amandes et le kirsch.

Retirer la tarte du four. Retirer le papier et les légumes secs, la démouler. La laisser refroidir.

Verser la crème au café sur le fond de la tarte.

Servir bien frais.

TARTE AU CAFÉ

(Brésil)

Préparation : 30 mn
Cuisson : 25 mn

> **Pâte sablée :** 250 g de farine, 175 g de beurre, 80 g de sucre en poudre, 1 œuf (voir recette).
>
> **Crème :** 2 cuillerées à café d'extrait de café, 150 g de sucre, 200 g d'amandes en poudre, 1 jaune d'œuf.

Préparer la pâte sablée. La mettre en boule et la laisser reposer au frais. L'étendre au rouleau et en garnir un moule à tarte beurré et fariné.

Préparer la crème : dans une casserole, faire fondre le sucre avec 2 cuillerées d'eau et l'extrait de café. Laisser bouillir 5 mn en remuant.

Verser ce sirop sur le jaune d'œuf, dans une terrine, en battant, ajouter les amandes. Bien mélanger. Verser cette crème sur la tarte.

Faire cuire à four chaud 25 mn.

Servir froid.

TARTE AUX CASSIS

Préparation : 20 mn
Cuisson : 35 mn

Pâte brisée : 250 g de farine, 125 g de beurre, eau, sucre, sel (voir recette).

500 g de cassis.

Garniture : 1/4 l de crème épaisse, 3 jaunes d'œufs, 25 g de farine, 100 g de sucre en poudre.

Préparer la pâte brisée. La mettre en boule. La laisser reposer au frais.

Laver, sécher, égrainer les cassis.

Étendre la pâte au rouleau. En garnir un moule à tarte beurré et fariné.

Couvrir avec les cassis.

Dans une terrine, battre les jaunes d'œufs avec le sucre. Ajouter la farine puis la crème. Bien travailler le mélange. Verser cette préparation sur les cassis.

Cuire à four chaud 35 mn.

Servir tiède ou froid.

TARTE AUX CERISES

Préparation : 30 mn
Cuisson : 40 à 45 mn

Pâte sablée : 250 g de farine, 175 g de beurre, 1 œuf, 80 g de sucre, sel (voir recette). On peut aussi utiliser une pâte brisée.

700 g de cerises, 1 cuillerée à café de sucre en poudre, sucre glace.

Facultatif : 100 g de gelée de groseilles.

Faire la pâte sablée (ou brisée). La rouler en boule et la laisser reposer au frais.

Dénoyauter les cerises.

Étendre la pâte au rouleau, en garnir un moule à tarte beurré et fariné. Saupoudrer le fond avec une cuillerée à café de sucre en poudre. Disposer les cerises en les serrant les unes contre les autres.

Faire cuire à four chaud. Le fond de la tarte doit être saisi par la chaleur pour éviter que le jus de cerises ne le détrempe. Au bout de 20 mn, lorsque le fond est rigide, réduire la chaleur. Laisser cuire encore 20 à 25 mn.

Après cuisson, saupoudrer de sucre glace ou napper avec de la gelée de groseilles tiède.

TARTE AUX CERISES AU FLAN

Préparation : 30 mn
Cuisson : 40 à 45 mn

> **Pâte brisée :** 250 g de farine, 125 g de beurre, sucre, eau, sel (voir recette).
>
> 500 g de cerises.
>
> **Flan :** 2 œufs, 125 g de sucre, 100 g de crème fraîche.

Préparer la pâte brisée, la rouler en boule, la laisser reposer au frais. L'étendre au rouleau. En garnir un moule à tarte beurré et fariné. Piquer le fond.

Dénoyauter les cerises. Les disposer sur le fond de la tarte.

Battre dans une terrine, le sucre, les œufs et la crème. Verser sur les cerises.

Cuire à four chaud 40 à 45 mn.

TARTE AU CHOCOLAT

Préparation : 1 h 30
Cuisson : 40 à 45 mn

Pâte brisée (ou sablée) : 250 g de farine, 125 g de beurre, sucre, sel, eau (voir recette).

Garniture : 100 g de chocolat râpé, 100 g d'amandes en poudre, 100 g de sucre en poudre, 3 œufs, 100 g de beurre, 20 g de farine, 1 pincée de cannelle en poudre, 1/4 l de crème fraîche (facultatif).

Faire la pâte brisée. La mettre en boule, la laisser reposer au frais.

Étendre la pâte au rouleau. En foncer un moule à tarte à bords assez hauts (ou un moule à flan) beurré et fariné. Piquer le fond.

Dans une terrine, travailler le beurre ramolli, le chocolat râpé, le sucre, la poudre d'amandes, la cannelle, les trois jaunes d'œufs. Ajouter la farine. Bien battre le tout pour former une pâte lisse.

Battre les blancs en neige. Les mélanger délicatement à la préparation au chocolat. Disposer ce mélange sur le fond de tarte. Cuire à four moyen 40 mn.

On peut servir avec de la crème fouettée dans une jatte.

TARTE AU CHOCOLAT
(Italie)

Préparation : 25 mn
Cuisson : 35 mn

Pâte brisée : 250 g de farine, 125 g de beurre, sucre, sel, eau (voir recette). On peut utiliser aussi une pâte sablée.

Crème : 3/4 l de lait, 100 g de sucre, 75 g de beurre, 2 œufs, 150 g de chocolat, 30 g de farine.

Faire la pâte. La mettre en boule, la laisser reposer au frais. Étendre la pâte au rouleau. En garnir un moule à tarte beurré et fariné. Piquer le fond. Cuire sans garniture en étalant sur le fond un papier sulfurisé recouvert de légumes secs (ou cailloux). Cuire à four chaud 15 à 20 mn.

Pendant ce temps, préparer la crème. Râper le chocolat. Faire chauffer le lait.

Dans une terrine, travailler les jaunes d'œufs avec le sucre, ajouter la farine en tournant, puis le chocolat. Mélanger en ajoutant le lait chaud peu à peu. Mettre cette préparation dans la casserole en tournant jusqu'à épaississement. Au premier bouillon, retirer du feu, ajouter le beurre en remuant, puis les blancs battus en neige.

Retirer la tarte du four. Oter le papier et les légumes secs. Verser la crème sur le fond ; bien lisser avec une lame de couteau.

Terminer la cuisson à four moyen, 10 mn environ.

TARTE AU CITRON NIÇOISE

Préparation : 30 mn
Cuisson : 30 à 35 mn

Pâte brisée : 250 g de farine, 125 g de beurre, sucre, eau, sel (voir recette).

Garniture : 250 g de sucre en poudre, 3 œufs, 1/4 l de crème fraîche, 100 g d'amandes en poudre, 1 gros citron non traité (ou 2 citrons moyens).

Facultatif (décoration) : 2 citrons, 1 dl d'eau, 65 g de sucre.

Préparer la pâte brisée. La rouler en boule et la laisser reposer au frais.

Étendre la pâte au rouleau. En garnir un moule à tarte beurré et fariné. Piquer le fond. La cuire « à blanc », sans garniture, en disposant sur le fond des haricots secs (ou des cailloux) posés sur un papier sulfurisé.

Cuire environ 20 mn à four chaud.

Dans une terrine, battre au fouet le sucre et les œufs jusqu'à ce que le mélange soit clair et mousseux. Ajouter le jus et le zeste du citron, la poudre d'amandes et la crème fraîche. Bien mélanger.

Sortir la tarte du four, retirer le papier et les haricots. Verser la préparation de la terrine sur la tarte.

Remettre à four moyen et terminer la cuisson (environ 10 à 15 mn).

On peut servir tiède ou froid.

Remarque : On peut décorer avec des tranches de citron pochées dans un sirop.

« LEMON PIE »
ou TARTE AU CITRON A L'ANGLAISE

Préparation : 40 mn
Cuisson : 35 à 40 mn

Pâte brisée : 250 g de farine, 125 g de beurre, sucre, eau, sel (voir recette).

Crème au citron : 125 g de sucre en poudre, 3 jaunes d'œufs, 1/4 l de lait, 30 g de fécule (ou maïzena), 2 citrons non traités.

Meringue : 2 blancs d'œufs, 50 g de sucre semoule, 50 g de sucre glace.

Faire une pâte brisée. La rouler en boule et la laisser reposer au frais.

L'étendre au rouleau et en garnir un moule à tarte beurré et fariné. Piquer le fond.

La cuire « à blanc » sans garniture. Pour cela, disposer sur un papier sulfurisé posé sur le fond de la tarte, des haricots secs (ou des cailloux). La mettre à four chaud 18 à 20 mn. Retirer et laisser refroidir.

Préparer la crème au citron. Dans une casserole, mélanger en remuant les 3 jaunes d'œufs, le sucre et la fécule, le zeste râpé d'un citron. Ajouter peu à peu le lait bouillant. Mettre sur le feu, laisser cuire en remuant jusqu'à épaississement. Retirer du feu, ajouter le jus des 2 citrons en mélangeant. Laisser refroidir.

Étaler la crème sur le fond de la tarte ; lisser la surface.

Meringue : Fouetter 2 blancs en neige très ferme. Continuer à battre en ajoutant les sucres.

Recouvrir la surface de la tarte avec la meringue, en décorant à l'aide de la poche à douille.

Remettre au four, sous le gril chauffé à l'avance, quelques minutes pour dorer légèrement la meringue.

Tarte aux abricots (p. 77)

Tarte aux fraises (p. 98)

TARTE AUX DATTES

Préparation : 20 mn
Cuisson : 20 à 25 mn

> **Pâte brisée :** 250 g de farine, 125 g de beurre, sucre, eau, sel (voir recette).

> **Crème :** 500 g de dattes, 100 g de beurre, 100 g de noisettes, 2 cuillerées à soupe de sucre.

Préparer la pâte brisée. La mettre en boule. La laisser reposer au frais.

Étaler la pâte au rouleau. En garnir un moule à tarte beurré et fariné. Piquer le fond. Étendre sur le fond un papier sulfurisé recouvert de légumes secs (ou cailloux), ce qui évitera les boursouflures à la cuisson.

Faire cuire à four chaud 20 à 25 mn.

Préparer la crème de dattes : hacher grossièrement les noisettes. Les faire griller légèrement.

Hacher finement les dattes après avoir retiré les noyaux.

Dans une terrine, mélanger bien les dattes hachées, le beurre, les deux tiers des noisettes grillées (encore chaudes), le sucre. On doit obtenir une crème lisse et onctueuse.

Sortir la tarte du four. Oter légumes secs et papier. Démouler et laisser un peu refroidir la pâte.

Étaler la crème de dattes sur la pâte, bien lisser et parsemer de noisettes grillées. Servir froid.

TARTE AUX FRAISES

Voir photo page 97

Préparation : 20 mn
Cuisson : 25 mn

> **Pâte sablée :** 250 g de farine, 175 g de beurre, 1 œuf, 80 g de sucre en poudre, 1 pincée de sel (voir recette).
>
> **Garniture :** 800 g de fraises, 150 g de gelée de groseilles (ou de framboises), 5 cuillerées d'eau.

Préparer la pâte sablée. La mettre en boule et la laisser reposer au frais.

L'étendre au rouleau et en garnir un moule à tarte beurré et fariné. La cuire « à blanc », c'est-à-dire la cuire au préalable sans les fraises. Pour cela, piquer le fond de la tarte avec une fourchette et le garnir d'un papier blanc sulfurisé que l'on remplit de haricots secs (ou lentilles, ou cailloux).

Mettre à four moyen. Lorsque le bord de la pâte est devenu ferme (10 à 15 mn), retirer le papier et les haricots. Terminer la cuisson (10 mn).

Mettre la gelée de groseilles et l'eau dans une casserole. Laisser mijoter sur feu doux jusqu'à l'obtention d'un sirop.

Après cuisson, laisser un peu refroidir la tarte, la démouler et la poser sur une grille.

Lorsque la tarte est froide, y disposer les fraises bien serrées.

Quelques instants avant de servir, napper les fraises avec le sirop de groseilles refroidi.

TARTE AUX FRAMBOISES

Préparation : 20 mn
Cuisson : 25 à 30 mn

Pâte sablée : 250 g de farine, 175 g de beurre, 80 g de sucre, 1 œuf, 1 pincée de sel (voir recette). On peut utiliser aussi une pâte brisée.

Garniture : 700 g de framboises, 3 cuillerées à soupe de gelée de groseilles ou de framboises.

Faire la pâte sablée, la mettre en boule et la laisser reposer au frais.

Étendre la pâte au rouleau sur 1/2 cm d'épaisseur. En garnir le moule à tarte beurré et fariné. Piquer le fond. Couvrir toute la surface de la pâte d'un papier sulfurisé rempli de haricots secs (ou de lentilles ou de cailloux).

Mettre à four chaud. Lorsque le bord de la tarte est devenu assez ferme, ôter les haricots et le papier. Terminer la cuisson. Retirer la tarte du four, laisser un peu refroidir et démouler. Laisser complètement refroidir sur une grille.

Étendre sur tout le fond la gelée de groseilles, légèrement tiédie. Disposer les framboises très serrées. Saupoudrer de sucre glace. On peut servir avec de la crème fraîche présentée dans une jatte.

TARTE FRANC-COMTOISE AU « GOUMEAU »

Préparation : 15 mn
Cuisson : 25 mn

Pâte brisée : 250 g de farine, 125 g de beurre, sucre, eau, sel (voir recette).

Flan : 1/4 l de lait, 100 g de sucre, 50 g de farine, 3 œufs, 1 dl de crème fraîche, 1 pincée de sel, 1 cuillerée à soupe d'eau de fleur d'oranger.

Faire une pâte brisée. La mettre en boule. La laisser reposer au frais.

Préparer le flan : travailler dans une terrine la farine, le lait, les œufs entiers, le sucre et le sel. Incorporer ensuite la crème et la fleur d'oranger.

Étendre la pâte au rouleau. En garnir un moule beurré et fariné.

Passer la préparation de la terrine à travers un chinois. Le verser sur le fond de la tarte.

Cuire à four chaud environ 25 mn.

TARTE A LA FRANGIPANE

Préparation : 60 mn
Cuisson : 45 à 50 mn

Pâte brisée : 250 g de farine, 125 g de beurre, sucre, eau, sel (voir recette).

Crème frangipane : 130 g d'amandes douces, 4 œufs, 125 g de beurre, 150 g de sucre semoule, 1 pincée de sel fin, 1 cuillerée à soupe de fécule (ou maïzena), 1 cuillerée à soupe de kirsch (ou de rhum).

1 œuf pour dorer, 50 g de sucre glace.

Faire une pâte brisée, la mettre en boule et la laisser reposer au frais. Réserver un peu de pâte pour faire les bandes de garniture. Étendre la pâte, en garnir un moule à tarte beurré et fariné. Piquer le fond.

Crème frangipane : monder (*) et sécher les amandes. Les piler au mortier (sinon les râper ou les broyer avec un appareil). Les mélanger dans une terrine avec deux œufs ajoutés un à un. Incorporer alors le beurre ramolli, le sucre, le sel. Rendre mousseux le mélange en le travaillant, incorporer la fécule, puis, un par un, les deux derniers œufs. Quand la pâte est bien crémeuse, ajouter le kirsch.

Étendre la crème frangipane sur la pâte au fond du moule. Étendre le restant de pâte brisée, y découper des bandelettes de 2 mm d'épaisseur et de 1 cm de largeur. En garnir la tarte. Les dorer à l'œuf battu.

Mettre à four chaud 45 mn environ.

Peu avant la fin de la cuisson, saupoudrer la tarte de sucre glace et remettre au four pour glacer.

(*) **Monder :** enlever la peau des amandes après les avoir ébouillantées.

TARTE AU FROMAGE BLANC
(Alsace)

Préparation : 15 mn
Cuisson : 45 mn

> **Pâte brisée :** 250 g de farine, 125 g de beurre, sucre, eau, sel (voir recette).
>
> **Flan au fromage :** 600 g de fromage blanc égoutté, 125 g de crème épaisse, 2 œufs entiers, 2 jaunes d'œufs, 175 g de sucre, 1 cuillerée à soupe de farine, 1 paquet de sucre vanillé ou de l'extrait de vanille, zeste de citron (facultatif).

Faire une pâte brisée. La mettre en boule et la laisser reposer au frais.

Tamiser le fromage afin de le réduire en crème fine, mélanger bien avec la crème. Fouetter le mélange. Puis ajouter les œufs entiers un à un, les jaunes, le sucre mélangé à la farine, la vanille ou le zeste de citron, le sel.

Étendre la pâte et en garnir un moule à tarte beurré et fariné. Piquer le fond à la fourchette. Y verser la préparation au fromage.

Mettre à four chaud. Au bout de 20 mn, baisser la température. Laisser cuire encore 25 mn.

La tarte bien dorée peut être servie froide ou tiède saupoudrée de sucre.

TARTE AU FROMAGE BLANC
ET AUX REINES-CLAUDES

Préparation : 35 mn
Cuisson : 30 à 35 mn

Pâte brisée : 250 g de farine, 125 g de beurre, eau, sel, 30 g de sucre (voir recette).

Garniture : 1 kg de reines-claudes, 250 g de fromage blanc, 150 g de sucre, 3 œufs, 1 sachet de sucre vanillé ou extrait de vanille.

Faire la pâte brisée. La mettre en boule et la laisser reposer au frais.

Dénoyauter les prunes. Battre le fromage blanc avec le sucre, un œuf et deux jaunes. Travailler ce mélange jusqu'à ce qu'il soit mousseux. Ajouter la vanille (sucre ou extrait).

Battre les blancs restants en neige ferme. Les ajouter délicatement au mélange mousseux.

Abaisser la pâte au rouleau et en garnir un moule à tarte préalablement beurré et fariné. Piquer le fond.

Disposer les prunes sur le fond de la tarte, côté bombé au-dessus. Recouvrir avec la préparation au fromage blanc.

Cuire à four chaud 30 à 35 mn.

TOURTEAU FROMAGÉ
(Poitou)

Préparation : 30 mn
Cuisson : 45 mn

> **Pâte brisée :** 250 g de farine, 125 g de beurre, eau, sucre, sel (voir recette).
>
> **Garniture :** 250 g de fromage frais (de chèvre de préférence) égoutté, 125 g de sucre, 5 œufs, 1 cuillerée de fécule ou de maïzena, 1 pincée de sel, 2 cuillerées à café de cognac.

Faire une pâte brisée. La mettre en boule et la laisser reposer au frais. Étendre la pâte au rouleau. En garnir un moule à tarte beurré et fariné.

Séparer les blancs d'œufs des jaunes. Dans une terrine, travailler le fromage avec le sucre et une pincée de sel. Ajouter les jaunes d'œufs un à un, la fécule puis le cognac.

Battre les blancs d'œufs en neige très ferme. Les incorporer à la préparation de la terrine. Verser sur la pâte.

Cuire à four moyen 45 mn environ.

TARTE AUX GROSEILLES

Préparation : 30 mn
Cuisson : 45 à 50 mn

Pâte brisée : 250 g de farine, 125 g de beurre, sucre, eau, sel (voir recette).

Garniture : 500 g de groseilles rouges, 125 g de sucre en poudre, 3 œufs, 3 cuillerées à soupe de farine, un peu de zeste de citron (facultatif).

Préparer la pâte brisée. L'étendre et en garnir un moule à tarte beurré et fariné. La mettre au frais.

Laver les groseilles, enlever les queues, les égoutter.

Dans une terrine, mélanger les jaunes d'œufs, le sucre, le zeste de citron. Battre jusqu'à ce que le mélange soit mousseux. Ajouter la farine. Battre les blancs en neige ferme, les ajouter à la préparation dans la terrine. Incorporer les groseilles.

Piquer le fond de la tarte avec les dents d'une fourchette. Couvrir le fond de la tarte avec la préparation aux groseilles.

Faire cuire à four modéré 45 mn environ.

TARTE AUX GROSEILLES MERINGUÉE

Préparation : 35 mn
Cuisson : 25 mn pour la pâte
            1 h pour la meringue

Pâte brisée : 250 g de farine, 125 g de beurre, sucre, eau, sel (voir recette).

Garniture : 400 g de groseilles rouges, bien mûres, 6 blancs d'œufs, 250 g de sucre en poudre, 100 g de noisettes grillées et concassées (ou de la poudre d'amandes).

Préparer la pâte brisée. L'étendre et en garnir le moule à tarte beurré et fariné au préalable.

Il faut faire cuire d'abord la tarte « à blanc », sans groseilles. Pour cela, piquer le fond de la tarte avec les dents d'une fourchette, le recouvrir de papier sulfurisé. Disposer sur ce papier des haricots secs (ou des lentilles ou des cailloux).

Mettre à four chaud. Dès que les bords de la tarte deviennent fermes, retirer du four. Oter les haricots et le papier et remettre la tarte au four quelques minutes pour terminer la cuisson (ne pas laisser colorer la pâte).

Pendant ce temps, fouetter les blancs en neige très ferme dans une terrine. Ajouter le sucre peu à peu tout en fouettant. Réserver 4 ou 5 cuillerées de blancs battus en neige dans un bol. Mélanger les groseilles avec le reste des blancs dans la terrine.

Sortir la tarte du four. Garnir le fond de noisettes. Couvrir avec le mélange de groseilles et de blancs battus en neige. Puis recouvrir le tout avec les blancs restant dans le bol. Bien lisser la surface. Saupoudrer de sucre glace. Remettre à four très doux pendant 1 h pour faire prendre le meringuage sans colorer. Servir tiède ou froid.

LINZER TORTE
(Autriche)

Préparation : 30 mn
Cuisson : 45 à 50 mn

140 g de beurre, 140 g de sucre en poudre, 140 g d'amandes hachées, 280 g de farine, 1 œuf, 1 pincée de clou de girofle en poudre, 2 g de cannelle en poudre, un peu de noix de muscade râpée, 1 zeste de citron non traité, 1 pincée de sel.

400 g de confiture de groseilles ou de framboises, 1 œuf pour dorer.

Dans une terrine, mélanger le sucre et le beurre ramolli. Ajouter en remuant le sel, les amandes, la girofle, la cannelle, la muscade, la farine, l'œuf et le zeste de citron. Pétrir à la main. Lorsque la pâte est bien homogène, la mettre en boule. La laisser reposer 30 à 60 mn, au frais.

Prélever les deux tiers de la pâte. Étendre au rouleau et garnir un moule à tarte beurré et fariné avec cette pâte.

Tartiner la tarte de confiture de groseilles ou de framboises.

Étendre la pâte restante sur 1/2 cm d'épaisseur et découper des bandes avec un coupe-pâte dentelé. Garnir la tarte avec ces bandes formant croisillons. Dorer à l'œuf battu.

Cuire à four moyen 50 mn environ. La tarte doit cuire sans dorer. Démouler. Attendre un jour avant de servir et de découper.

(En Autriche, on dit que la « Linzer Torte » est meilleure le lendemain, mais on peut évidemment la déguster, froide, plus tôt.)

TARTE LYONNAISE
(recette ancienne)

Préparation : 20 mn
Cuisson : 30 mn

> **Pâte brisée :** 250 g de farine, 125 g de beurre, sucre, eau, sel (voir recette).
>
> **Garniture :** 100 g de mie de pain rassis, 1/4 l de lait, 2 cuillerées à soupe de kirsch, 3 amandes amères hachées, 90 g de sucre, 4 œufs.

Faire la pâte brisée. La mettre en boule. La laisser reposer au frais.

Étendre la pâte au rouleau. En garnir un moule à tarte beurré et fariné.

Préparer la garniture : dans une terrine, émietter la mie de pain. Ajouter le lait, le sucre, le kirsch, les amandes. Mélanger. Incorporer les 4 jaunes d'œufs, puis 2 blancs battus en neige ferme. Verser sur la pâte.

Faire cuire à four chaud 30 mn.

TARTE AU MIEL ET AUX AMANDES

Préparation : 30 mn
Cuisson : 30 à 35 mn

> **Pâte brisée :** 250 g de farine, 125 g de beurre, sucre, eau, sel (voir recette).
>
> **Garniture :** 250 g d'amandes effilées, 3 cuillerées à soupe de miel, 3 cuillerées à soupe de crème fraîche, 2 cuillerées à soupe de sucre.

Préparer la pâte brisée. La mettre en boule. La laisser reposer au frais.

Préparer la crème aux amandes. Dans une terrine, travailler le miel, le sucre et la crème fraîche (si le miel est solide, le faire tiédir au bain-marie pour le ramollir). Incorporer les amandes.

Étendre la pâte au rouleau. En garnir un moule à tarte beurré et fariné. Piquer le fond. Verser la crème aux amandes sur la pâte.

Faire cuire à four chaud 30 à 35 mn. La tarte doit être légèrement dorée.

Servir tiède de préférence.

TARTE AUX MIRABELLES

Préparation : 20 mn
Cuisson : 30 mn

Pâte brisée : 250 g de farine, 125 g de beurre, eau, sucre, sel (voir recette). On peut utiliser également une pâte sablée.

Garniture : 750 g de mirabelles, 1 cuillerée à soupe de sucre, confiture d'abricots.

Préparer la pâte brisée. La rouler en boule. La laisser reposer au frais.

Dénoyauter les mirabelles (si possible avec un dénoyauteur qui évite que le jus ne s'écoule).

Étendre la pâte au rouleau. En garnir un moule à tarte beurré et fariné. Piquer le fond avec une fourchette. Saupoudrer d'une cuillerée de sucre en poudre.

Disposer les mirabelles sur le fond en les serrant.

Mettre à four chaud 30 mn. A la sortie du four, saupoudrer de sucre glace.

Démouler la tarte ; la placer sur une grille et recouvrir les mirabelles d'un peu de confiture d'abricots légèrement fondue.

TARTE AUX MÛRES

Préparation : 20 mn
Cuisson : 25 mn

Pâte brisée : 250 g de farine, 125 g de beurre, sucre, eau, sel (voir recette).

Garniture : 750 g de mûres, 125 g de crème fraîche, 100 g de sucre, 2 œufs, 1 cuillerée à soupe de chapelure (ou biscuits écrasés).

Préparer la pâte brisée. La mettre en boule. La laisser reposer au frais.

Étendre la pâte au rouleau. En garnir un moule à tarte beurré et fariné. Piquer le fond avec les dents d'une fourchette. Saupoudrer de chapelure (ou de biscuits ou biscottes écrasés) pour absorber une partie du jus des mûres. Recouvrir avec les mûres bien étalées.

Faire cuire à four chaud 15 mn.

Pendant ce temps, dans une terrine, battre la crème, le sucre et les œufs entiers.

Retirer la tarte du four, verser cette préparation sur les mûres. Remettre au four. Laisser cuire encore 10 mn environ.

TARTE AUX MYRTILLES DES VOSGES

Préparation : 20 mn
Cuisson : 30 mn

Pâte brisée : 250 g de farine, 125 g de beurre, sucre, sel, eau (voir recette).

Garniture : 500 g de myrtilles, un peu de chapelure, 125 g de crème fraîche, 100 g de sucre, 2 œufs.

Préparer la pâte, la mettre en boule et la laisser reposer au frais.

Étendre la pâte. En garnir un moule à tarte beurré et fariné. Piquer le fond et saupoudrer d'un peu de chapelure. Répartir les myrtilles sur la tarte.

Faire cuire 15 mn à four chaud.

Pendant ce temps, dans une terrine, battre les œufs entiers avec le sucre et la crème.

Sortir la tarte du four. Verser cette préparation sur les fruits.

Remettre au four 15 mn pour terminer la cuisson.

Servir froid ou tiède.

Tarte aux pommes « bonne femme » (p. 120)

Galette des rois (p. 149)

TARTE LORRAINE AUX MYRTILLES

Préparation : 20 mn
Cuisson : 25 à 30 mn

Pâte brisée : 250 g de farine, 125 g de beurre, eau, sucre, sel (voir recette).

Garniture : 500 g de myrtilles, 150 g de sucre, 1 verre de vin rouge, 1 cuillerée à café de cannelle.

Faire une pâte brisée comme dans la recette précédente. En garnir un moule beurré et fariné.

Faire cuire les myrtilles quelques minutes dans le vin avec 100 g de sucre. Égoutter les myrtilles, les laisser refroidir et les disposer sur le fond de la tarte. Conserver le jus de cuisson des myrtilles.

Cuire la tarte à four chaud 25 à 30 mn.

Pendant ce temps, faire réduire le jus des myrtilles avec 50 g de sucre jusqu'à l'obtention d'un sirop. Ajouter la cannelle.

Retirer la tarte cuite du four. Verser le sirop sur les myrtilles.

TARTE MALGACHE A LA NOIX DE COCO
(« Coco Mamy »)

Préparation : 25 mn
Cuisson : 45 mn

> **Pâte brisée :** 250 g de farine, 125 g de beurre, sucre, sel, eau (voir recette).
>
> **Garniture :** 100 g de noix de coco râpée, 1/2 l de lait, 3 œufs, 10 g de farine, 125 g de sucre.

Préparer la pâte brisée. La mettre en boule et la laisser reposer au frais. L'étendre au rouleau et en garnir un moule beurré et fariné. Piquer le fond et la cuire « à blanc ». Pour cela, disposer sur le fond un papier sulfurisé contenant des haricots secs (ou des cailloux).

Faire cuire à four moyen 20 mn.

Pendant ce temps, battre dans une terrine les œufs entiers et le sucre. Ajouter la farine délayée soigneusement avec un peu de lait froid. Bien mélanger et ajouter le reste du lait puis la noix de coco. Sortir la tarte du four.

Verser cette préparation sur le fond de la pâte. Terminer la cuisson à four chaud 20 à 25 mn.

Laisser refroidir avant de démouler.

TARTE AUX NOIX DE PECAN
(Pecan Pie - U.S.A.)

Préparation : 30 mn
Cuisson : 40 à 50 mn

Pâte : 250 g de farine, 80 g de graisse végétale, 45 g de beurre, 1 pincée de sel, 3 à 4 cuillerées d'eau.

Garniture : 4 œufs, 1/2 l de sirop de maïs foncé ou 300 g de sucre brun, 125 g de beurre, 150 g de noix de pécan hachées, 1 cuillerée à soupe d'extrait de vanille liquide.

Préparer la pâte. Dans une terrine, mettre la farine, la graisse, le beurre et le sel. Travailler du bout des doigts pour bien mélanger, de façon à obtenir une sorte de grosse semoule (voir recette de la pâte brisée). Ajouter l'eau chaude. Mélanger et mettre la pâte en boule. Saupoudrer de farine ; couvrir et laisser reposer au frais 30 mn.

Étendre la pâte au rouleau. En garnir un moule à tarte beurré et fariné. Piquer le fond. Cuire à four chaud 8 mn.

Retirer la tarte du four et la laisser refroidir.

Pendant ce temps, préparer la garniture. Dans une terrine, mettre les œufs entiers. Les battre (30 s si on utilise un mixer), puis incorporer lentement le sirop ou le sucre brun tout en continuant à battre jusqu'à ce que le mélange soit bien homogène. Incorporer le beurre ramolli, la vanille et les pécans hachés.

Verser cette préparation sur la tarte en répartissant bien. Décorer avec des demi-pécans.

Cuire à four moyen 40 à 50 mn. Servir la tarte tiède ou froide.

On peut utiliser la pâte brisée classique avec 125 g de beurre (voir recette).

TARTE A L'ORANGE

Préparation : 1 h
Cuisson : 20 mn

Pâte brisée : 250 g de farine, 125 g de beurre, sucre, eau, sel (voir recette).

Crème pâtissière frangipane : 1/4 l de lait, 3 jaunes d'œufs, 100 g de sucre, 50 g d'amandes en poudre, 1 gousse de vanille (ou extrait), 1 pincée de sel, 20 g de maïzena (ou farine extra), 1 cuillerée de liqueur d'orange, 1 zeste d'orange non traité.

Oranges confites : 4 oranges non traitées, 1 cuillerée à soupe de rhum ou liqueur d'orange, 100 g de sucre.

Faire une pâte brisée. La rouler en boule. La laisser reposer au frais.

Étendre la pâte au rouleau. En garnir un moule à tarte beurré et fariné. Piquer le fond. La cuire « à blanc », c'est-à-dire sans garniture. Pour cela, poser un papier sulfurisé sur le fond de la tarte et le recouvrir de haricots secs (ou cailloux).

Cuire 20 mn à four moyen.

Pendant la cuisson, faire la crème pâtissière. Dans une terrine, travailler le sucre en poudre et les jaunes d'œufs jusqu'à ce que le mélange soit mousseux et jaune paille. Ajouter la maïzena. Faire bouillir le lait avec la vanille. Verser ce lait sur le mélange de la terrine en fouettant doucement. Mettre sur feu doux; ajouter les amandes et le sel. Laisser bouillir la crème 1 mn en la fouettant vigoureusement. Ajouter la liqueur d'orange et le zeste d'orange. Laisser refroidir en tournant de temps en temps pour que la crème reste lisse.

Pendant ce temps, préparer les oranges. Couper les oranges non pelées en tranches très fines (si possible avec un couteau spécial pour canneler). Préparer un sirop avec 100 g de sucre, 2 cuillerées d'eau et le rhum. Y faire pocher 15 mn les oranges. Les retirer, les laisser égoutter et refroidir.

Sur le fond de la tarte cuit et refroidi, étaler la crème pâtissière. Y disposer les rondelles d'oranges en les faisant se chevaucher à moitié. Servir frais.

Remarque : On peut alléger la crème pâtissière en lui ajoutant un peu de crème chantilly.

TARTE AUX AMANDES ET A L'ORANGE

Préparation : 40 mn
Cuisson : 30 à 35 mn

> **Pâte brisée :** 250 g de farine, 125 g de beurre, sucre, sel, eau (voir recette).
>
> **Pâte d'amandes :** 125 g d'amandes en poudre, 2 œufs, 60 g de sucre, 60 g de beurre.
>
> **Sirop :** 160 g de sucre, 2 dl d'eau, 4 oranges.

Faire une pâte brisée. La mettre en boule. La laisser reposer au frais.

Étendre la pâte au rouleau. En garnir un moule à tarte beurré et fariné. Piquer le fond.

Préparer la pâte d'amandes. Battre les œufs en omelette ; ajouter 60 g de sucre, 60 g de beurre ramolli. Travailler jusqu'à ce que le mélange soit mousseux et clair. Ajouter les amandes en poudre. Disposer cette crème sur le fond de tarte. Faire cuire au four 30 mn environ.

Pendant ce temps, préparer le sirop de sucre avec 2 dl d'eau et 160 g de sucre ; laisser bouillir doucement. Découper les oranges non pelées en rondelles fines (si possible avec un couteau spécial à canneler). Pocher les rondelles d'oranges dans le sirop 15 mn environ. Les retirer avec une écumoire et laisser égoutter.

Laisser réduire le sirop de moitié. Le laisser refroidir.

Sur la tarte cuite et refroidie, verser la réduction de sirop, disposer les rondelles d'oranges.

Servir frais.

TARTE AUX PÊCHES

Préparation : 20 mn
Cuisson : 25 mn

Pâte brisée : 250 g de farine, 125 g de beurre, sucre, sel, eau (voir recette). On peut utiliser également une pâte sablée.

Garniture : 8 à 10 pêches bien mûres, 1 cuillerée à café de kirsch, 50 g de sucre (ou 300 g de gelée de groseilles), confiture d'abricots (facultatif).

Faire une pâte brisée. La rouler en boule, la laisser reposer au frais.

L'étendre au rouleau. En garnir un moule à tarte beurré et fariné. Piquer le fond. Protéger le fond avec un papier sulfurisé recouvert de légumes secs (ou de cailloux); ce qui évitera les boursouflures à la cuisson.

Faire cuire à four moyen 20 mn environ.

Peler et dénoyauter les pêches.

Préparer, dans une casserole, un sirop avec le sucre et 2 cuillerées à soupe d'eau et le kirsch. Laisser frémir 10 mn.

Sortir la tarte du four. Retirer papier et légumes secs et démouler. Garnir la pâte avec les pêches coupées en quatre. Arroser avec le sirop de kirsch (ou gelée de groseilles chaude).

Si vous avez utilisé le sirop de kirsch, attendre que la tarte soit refroidie et napper les pêches avec de la confiture d'abricots tiédie.

TARTE AUX POMMES « BONNE FEMME »

(sans flan)

Voir photo page 112

Préparation : 1 h
Cuisson : 40 à 45 mn

> **Pâte brisée :** 250 g de farine, 125 g de beurre, eau, sel, sucre (voir recette).
>
> **Garniture :** 1,500 kg de pommes (reinettes), 200 g de sucre, 1 paquet de sucre vanillé.

Faire la pâte brisée. La rouler en boule et la laisser reposer.

Prélever six pommes de même grosseur environ. Avec le restant des pommes, faire une compote. Dans une casserole, mettre les pommes épluchées et coupées en morceaux, 150 g de sucre et le sucre vanillé. Couvrir et laisser cuire et réduire sur feu doux. Laisser refroidir.

Étendre la pâte et en garnir un moule à tarte beurré et fariné. Piquer le fond. Tartiner le fond de la tarte avec la compote. Éplucher les pommes, les épépiner et les couper en tranches fines. Les disposer en couronne sur la compote en les faisant chevaucher. Saupoudrer du sucre restant.

Mettre à four chaud pendant 35 à 40 mn.

On peut faire la tarte sans mettre de marmelade sous les pommes.

On peut, pour faire briller la tarte, napper la surface d'un peu de marmelade d'abricots.

TARTE AUX POMMES A L'ALSACIENNE

Préparation : 30 mn
Cuisson : 45 à 50 mn

Pâte brisée : 250 g de farine, 125 g de beurre, eau, sel, sucre (voir recette).

1 kg de pommes (reinettes), 30 g de sucre.

Flan : 75 g de sucre, 200 g de crème fraîche, 2 œufs, 1 paquet de sucre vanillé.

Faire la pâte brisée. La rouler en boule et la laisser reposer au frais.

Éplucher les pommes, les couper en huit quartiers. Étendre la pâte, en garnir un moule à tarte beurré et fariné.

121

Piquer le fond. Disposer les pommes sur le fond, saupoudrer de sucre (30 g).

Mettre à four chaud 25 à 30 mn.

Préparer le flan : battre les œufs entiers et le sucre, ajouter la crème. Lorsque les pommes sont tendres (presque cuites), verser le flan sur la tarte. Remettre au four pour terminer la cuisson.

Servir tiède.

« PIE » AUX POMMES
(tarte à l'américaine)

Préparation : 30 mn
Cuisson : 40 à 45 mn

Un moule à pie ou un plat creux allant au four.

Pâte brisée : 300 g de farine, 150 g de beurre, 30 g de sucre, eau, sel (voir recette).

Garniture : 1 kg de pommes acidulées (reinettes grises ou autres), 90 g de sucre, 30 g de beurre, cannelle en poudre, 1 œuf pour dorer.

Faire la pâte brisée, la mettre en boule et la laisser reposer au frais.

Peler et épépiner les pommes, les couper en quartiers et couper chaque quartier en deux ou trois morceaux. Les mélanger avec le sucre et la poudre de cannelle dans une terrine.

Diviser la pâte en deux. Étaler une moitié de la pâte et en garnir le moule (ou le plat) beurré en laissant déborder la pâte un peu tout autour. Disposer les pommes sur le fond, parsemer de petits morceaux de beurre.

Étendre la seconde moitié de la pâte pour former le couvercle. Le disposer sur le moule pour couvrir les pommes. Couper les bords de cette pâte jusqu'à 2 cm à l'extérieur des bords du moule. Rabattre ce couvercle de pâte sous le pourtour de la pâte du fond. Presser entre deux doigts, tout autour, les deux abaisses de pâte pour les souder. A l'aide des dents d'une fourchette, cranter cette soudure.

Faire un trou au centre, y mettre une cheminée faite avec un tuyau de papier enroulé. Avec la pointe d'un couteau, tracer des losanges sur le couvercle pour le décorer. Dorer à l'œuf entier battu.

Mettre à four chaud 40 à 45 mn.

Servir le « pie » tiède en versant de la crème fraîche liquide par la cheminée. On peut aussi le servir froid.

Remarque : On peut ajouter aux pommes des raisins de Smyrne (100 g).

TARTE-GALETTE AUX POMMES

Préparation : 30 mn
                2 h pour la pâte
Cuisson : 20 à 25 mn

250 g de pâte feuilletée ; 500 g de pommes (reinettes de préférence), 60 g de sucre en poudre, 25 g de beurre, 1 jaune d'œuf.

Cette pâte se cuit sans moule.

Étendre la pâte directement sur la plaque du four (inutile de la beurrer) en lui donnant une forme ronde de la taille d'une grande assiette de 1/2 cm d'épaisseur. La piquer. Relever les bords de la pâte et les dorer à l'œuf battu. Saupoudrer le centre d'une cuillerée de sucre en poudre.

Peler les pommes, les épépiner. Les couper en tranches très fines. Les disposer sur la pâte en forme de couronne, en rangs serrés.

Cuire à four chaud 20 à 25 mn.

Dans une petite casserole, mettre une cuillerée à soupe d'eau, 30 g de sucre en poudre et 25 g de beurre. Laisser cuire jusqu'à obtention d'un sirop.

Aussitôt la tarte cuite et retirée du four, la badigeonner avec le sirop à l'aide d'un pinceau. La servir chaude. On peut aussi la flamber au calvados.

TARTE TATIN

Préparation : 20 mn
Cuisson : 40 à 45 mn

> 300 g de **pâte feuilletée** ou de **pâte brisée** (voir recettes).
>
> **Garniture :** 1,5 kg de pommes acidulées, 150 g de beurre, 200 g de sucre.

Préparer la pâte (la mettre en boule et la laisser reposer au frais). Éplucher les pommes, les épépiner, les couper en quatre.

Dans un moule à bords hauts (4 à 5 cm de hauteur), ou un plat à gratin, faire fondre 125 g de beurre, ajouter les deux tiers environ du sucre. Poser les quartiers de pommes dans le moule bien serrés les uns contre les autres. Saupoudrer du reste du sucre. Ajouter 25 g de beurre fondu.

Laisser cuire sur feu moyen 20 à 25 mn ; le fond du plat doit caraméliser mais rester brun pâle.

Étendre la pâte sur 4 mm d'épaisseur. La poser sur le moule pour recouvrir les pommes. La pâte ne doit pas trop déborder du moule. Rentrer les bords à l'intérieur s'il y a lieu.

Mettre à four chaud 15 à 20 mn. Démouler la tarte en la renversant sur le plat de service. Servir tiède.

POMMÉ ou CHAUSSON AUX POMMES

Préparation : 1 h
Cuisson : 40 à 45 mn

> 500 g de **pâte feuilletée** (voir recette).
>
> **Garniture :** 1 kg de pommes (reinettes), 150 g de sucre, 80 g de beurre, 5 cuillerées à soupe de rhum, une pincée de poivre blanc, 1 œuf pour dorer.

Éplucher, épépiner et émincer les pommes en quartiers pas trop minces.

Dans une sauteuse, faire fondre le beurre, y mettre les pommes. Les faire sauter et cuire quelques minutes sans les écraser. Les déposer dans un plat, ajouter le sucre et le rhum et une petite pincée de poivre blanc. Mélanger et laisser refroidir.

Étendre la pâte sur 3 à 4 mm d'épaisseur en lui donnant une forme ronde. La poser directement sur la tôle du four, beurrée et légèrement farinée.

Humecter le pourtour de la pâte avec un peu d'eau. Disposer la préparation aux pommes sur une moitié de la galette de façon à la replier en chausson. Souder bien les bords du chausson avec les doigts en appuyant afin d'éviter que le pommé ne s'ouvre à la cuisson.

Dorer toute la surface à l'œuf battu en omelette. Piquer ou rayer la surface avec une fourchette ou la pointe d'un couteau.

Cuire à four chaud 40 à 45 mn. Lorsque le gâteau colore trop, couvrir d'un papier.

Servir chaud ou tiède.

TOURTE AUX POIRES DU BOURBONNAIS
(« Piquenchagne »)

Préparation : 20 mn
Cuisson : 40 à 45 mn

> **Pâte brisée :** 300 g de farine, 150 g de beurre, 30 g de sucre, sel, eau (voir recette).
>
> **Garniture :** 1 kg de poires (de préférence poires sucrées de Montluçon), 100 g de crème fraîche épaisse, 100 g de sucre en poudre, 1 pincée de poivre, 1 paquet de sucre vanillé, 1 œuf pour dorer.

Faire la pâte brisée, la rouler en boule et la laisser reposer. Séparer la pâte en deux parties. Étaler ces deux parties en deux ronds, l'un légèrement plus grand que l'autre.

Avec le plus grand rond, garnir un moule à tarte beurré et fariné (un moule à bords hauts ou un plat rond allant au four).

Peler, épépiner, émincer les poires en quartiers. Les disposer sur le fond de la pâte.

Dans une terrine, battre la crème, le sucre en poudre, le sucre vanillé, le poivre. Verser cette préparation sur les poires. Recouvrir le tout avec le deuxième rond de pâte en soudant bien les bords du couvercle et du fond avec les doigts. Faire une ouverture ronde au milieu, tenue ouverte à l'aide d'un papier roulé pour que la vapeur s'échappe à la cuisson.

Dorer à l'œuf battu, avec un pinceau.

Cuire à four chaud 45 mn environ. Servir tiède.

Note : On peut faire macérer les poires émincées dans le mélange crème-sucre 3 h à l'avance.

On peut ajouter aussi un petit verre de rhum pour parfumer.

TOURTE AUX POIRES DU BERRY
(« Poirat »)

Préparation : 35 mn
Cuisson : 1 h 15

> 400 g de **pâte feuilletée** (voir recette).
>
> **Garniture :** 1 kg de poires, 5 cuillerées d'eau-de-vie, une pincée de poivre, 250 g de sucre, 100 g de crème fraîche épaisse, 1 œuf pour dorer.

Peler, épépiner les poires, les couper en tranches (huit). Les mettre dans une terrine avec l'eau-de-vie, le sucre, le poivre. Les laisser macérer 30 à 60 mn.

Diviser la pâte feuilletée en deux parties. L'une un peu plus grosse que l'autre. Étendre la première partie sur 4 mm d'épaisseur. En garnir un moule carré beurré et fariné au préalable (ou un plat). Laisser un peu déborder la pâte tout autour.

Égoutter les poires en gardant le jus de macération. Les disposer sur le fond de tarte. Étendre le reste de pâte qui formera le couvercle. Le poser sur les poires. Souder les bords humectés à l'eau ou au lait avec les doigts.

Creuser un petit trou au milieu du couvercle. Le maintenir ouvert en y introduisant un petit morceau de papier roulé d'où s'échappera la vapeur. Dorer à l'œuf battu.

Cuire à four chaud 15 mn. Puis réduire la chaleur et cuire encore à four moyen 1 h. Quand la tourte est cuite et dorée, la sortir du four. Verser dans le trou la crème délayée avec le jus des poires restant dans la terrine.

Servir chaud avec une grosse cuillère.

TARTE AUX POIRES ANGEVINE

Préparation : 15 mn
Cuisson : 40 mn

> **Pâte brisée :** 250 g de farine, 125 g de beurre, eau, sucre, sel (voir recette).
>
> **Garniture :** 1 kg de poires, 30 g de beurre, 100 g de sucre, 1 dl de crème fraîche, 2 sachets de sucre vanillé.

Faire une pâte brisée. La mettre en boule et la laisser reposer au frais.

Reprendre la pâte, l'étendre au rouleau et en garnir un moule à tarte beurré et fariné. La piquer. Cuire la pâte « à blanc », c'est-à-dire sans garniture. Pour cela, disposer sur le fond de la tarte un papier sulfurisé garni de haricots secs (ou de cailloux). Faire cuire la tarte à four moyen 20 à 25 mn.

Peler les poires, les couper en six, les faire sauter au beurre dans une grande sauteuse en les saupoudrant de sucre (50 g) et de sucre vanillé. Lorsque les poires deviennent translucides, les retirer et les égoutter sur un papier absorbant.

Dans la sauteuse contenant le jus de cuisson des poires, verser la crème, laisser réduire jusqu'à l'obtention d'un mélange épais.

Retirer la tarte du four, ôter le papier et les haricots. Disposer les poires sur le fond de la tarte, napper avec la réduction contenue dans la sauteuse. Saupoudrer avec le sucre restant (50 g) et mettre au four quelques minutes juste pour colorer le dessus de la tarte.

Servir tiède de préférence.

TARTE AUX POIRES ET AUX NOIX

Préparation : 30 mn
Cuisson : 35 mn

Pâte brisée : 250 g de farine, 125 g de beurre, sucre, eau, sel (voir recette).
Garniture : 1 kg de poires, 100 g de noix, 1/4 l de crème fraîche, 2 œufs, 125 g de sucre.

Faire la pâte brisée, la mettre en boule et la laisser reposer.

Peler les poires, enlever les pépins et le cœur, les couper en deux. Hacher grossièrement les noix.

Dans une terrine, battre les œufs entiers, la crème et 100 g de sucre.

Étendre la pâte au rouleau et en garnir un moule beurré et fariné. Piquer le fond avec les dents d'une fourchette.

Disposer les demi-poires sur la pâte, côté bombé dessus. Les inciser légèrement avec un couteau dans les deux sens. Parsemer du sucre restant et des noix hachées. Napper le tout avec le mélange œufs, crème et sucre.

Mettre à four chaud 35 mn environ.

Servir la tarte tiède ou froide.

TARTE AUX POIRES GENEVOISE

Préparation : 30 mn
Cuisson : 30 à 35 mn

Pâte brisée : 250 g de farine, 125 g de beurre, sucre, sel, eau (voir recette).

Garniture : 4 belles poires, 100 g de crème fraîche, 1 œuf, 3 cuillerées à soupe de sucre, 50 g de raisins secs, 50 g de zestes d'orange confits, 20 g de beurre.

Faire la pâte brisée. La mettre en boule et la laisser reposer au frais.

Peler, épépiner les poires, les couper en deux.

Dans une terrine, battre l'œuf entier, le sucre (1 cuillerée à soupe) et la crème.

Étendre la pâte et en garnir un moule à tarte beurré et fariné. Étendre le mélange crème, œuf et sucre sur la pâte, y disposer les moitiés de poires, le côté bombé dessus. Les inciser avec un couteau de stries parallèles.

Arroser avec le beurre fondu. Saupoudrer du sucre restant (2 cuillerées). Parsemer de raisins secs et de zestes d'orange. Cuire à four chaud 30 mn environ.

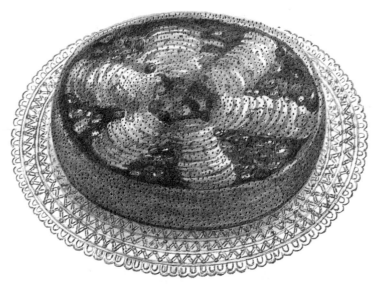

TARTE AUX PRUNES

Préparation : 30 mn
Cuisson : 30 à 35 mn

Pâte brisée : 250 g de farine, 125 g de beurre, eau, sucre, sel (voir recette) ou pâte sablée.

Garniture : 1 kg de prunes (mirabelles, reines-claudes ou prunes rouges), 80 g de sucre en poudre, un peu de sucre glace.

Faire la pâte à foncer. La mettre en boule et la laisser reposer au frais.

L'étendre au rouleau et en garnir un moule à tarte préalablement beurré et fariné. Piquer le fond avec une fourchette.

Saupoudrer le fond de sucre en poudre. Garnir avec des prunes dénoyautées en les disposant en couronne et en les faisant se chevaucher (le côté peau sur le fond).

Mettre la tarte à four chaud 30 à 35 mn.

A la sortie du four, saupoudrer de sucre glace.

TARTE AU POTIRON

Préparation : 40 mn
Cuisson : 40 mn

Pâte brisée : 250 g de farine, 125 g de beurre, eau, sucre, sel (voir recette).

Garniture : 1 kg de potiron, 150 g de sucre en poudre, 180 g de crème fraîche, 1 zeste de citron (non traité) râpé, 80 g de farine, 3 œufs, sel.

Faire une pâte brisée. La mettre en boule. La laisser reposer au frais.

Préparer la purée de potiron. Détacher la pulpe du potiron. La couper en petits morceaux. La faire cuire dans une casserole sans eau (ou très peu), doucement à couvert, environ 20 mn. Lorsqu'elle est cuite, passer au tamis et mettre 500 g de pulpe dans une terrine.

Dans un bol, battre les œufs entiers avec le sucre, ajouter la farine. Incorporer ce mélange à la purée de potiron dans la terrine, ajouter en mélangeant le sel, le zeste de citron et la crème fraîche.

Étendre la pâte au rouleau. En garnir un moule à tarte beurré et fariné. Verser la préparation de la terrine sur le fond de la tarte. Cuire à four chaud 40 mn.

TARTE AUX PRUNEAUX

Préparation : 1 h
Trempage des pruneaux : 3 à 4 h
Cuisson : 30 à 35 mn

Pâte brisée : 250 g de farine, 125 g de beurre, eau, sucre, sel (voir recette).

Garniture : 1 kg de pruneaux, 150 g de sucre, arôme au choix : cannelle en poudre, ou zeste de citron, ou vanille ou Armagnac.

Faire une pâte brisée. La mettre en boule et la laisser reposer au frais.

Faire gonfler les pruneaux en les recouvrant d'eau froide ou d'un thé léger. Lorsqu'ils ont bien gonflé, les égoutter. Les mettre dans une casserole et les recouvrir juste d'eau froide. Faire cuire doucement 45 mn.

Enlever les noyaux des pruneaux, les écraser en purée, ajouter le sucre et l'arôme choisi.

Étendre la pâte dans le moule à tarte beurré et fariné (garder un peu de pâte pour la garniture), piquer le fond avec une fourchette. Étaler sur le fond les pruneaux en compote, parsemer de petits morceaux de beurre.

Décorer avec des croisillons faits avec de minces bandes de pâte. Badigeonner les bords de la tarte et les croisillons avec un jaune d'œuf pour dorer.

Cuire à four chaud environ 30 mn.

TARTE AU FLAN DE PRUNEAUX

Préparation : 15 mn
Trempage des pruneaux : 3 h
Cuisson : 35 mn

Pâte brisée : 250 g de farine, 125 g de beurre, 30 g de sucre, eau, sel (voir recette).

Garniture : 500 g de pruneaux d'Agen, 1 cuillerée à café de thé, 150 g de crème fraîche, 2 œufs, 80 g de sucre, 1 dl d'Armagnac, 1 cuillerée à café de fécule.

Préparer un thé léger. En couvrir les pruneaux et laisser macérer 3 h environ pour les faire gonfler (on peut les mettre à macérer la veille).

Préparer une pâte brisée (voir recette). La laisser reposer au frais. Abaisser la pâte. En garnir le moule à tarte beurré et fariné. Piquer le fond avec une fourchette.

Égoutter et dénoyauter les pruneaux. Les disposer sur le fond de la tarte.

Battre la crème avec les œufs entiers, la fécule, le sucre et l'Armagnac. Verser sur les pruneaux. Parsemer le dessus de quelques noisettes de beurre.

Mettre à four chaud 30 mn.

Servir tiède ou froid.

TARTE AUX QUETSCHES A L'ALSACIENNE

Préparation : 20 mn
Cuisson : 40 à 45 mn

Pâte brisée : 250 g de farine, 125 g de beurre, eau, sucre, sel (voir recette) ou pâte sablée, ou pâte levée.

Garniture : 750 g de quetsches, 100 g de sucre, cannelle en poudre.

Préparer la pâte brisée (sablée ou levée). La mettre en boule et la laisser reposer au frais.

Pendant ce temps, partager les quetsches en deux, retirer le noyau. Étendre la pâte et en garnir un moule à tarte beurré et fariné. Piquer le fond à la fourchette. Saupoudrer de 2 cuillerées à soupe de sucre. Y disposer les demi-prunes, la peau contre la pâte, en les faisant se chevaucher. Mettre à four chaud 20 à 25 mn.

A mi-cuisson, saupoudrer à nouveau de sucre semoule et de cannelle en poudre.

Continuer la cuisson à four moyen.

Servir saupoudré de sucre glace.

TARTE AUX RAISINS CRUS

Préparation : 20 mn
Cuisson : 25 à 30 mn pour la tarte
        8 à 10 mn pour la crème

> **Pâte brisée :** 250 g de farine, 125 g de beurre, sucre, eau, sel (voir recette).
>
> **750 g de raisins.**
>
> **Crème pâtissière :** 2 œufs, 1/4 l de lait, 25 g de farine, 50 g de sucre, 1/2 paquet de sucre vanillé.

Faire une pâte brisée. La mettre en boule et la laisser reposer au frais.

Étendre la pâte et en garnir un moule à tarte beurré et fariné. Disposer des haricots secs sur une feuille de papier sulfurisé au fond du moule (qu'on enlèvera après cuisson). Faire cuire la pâte à four chaud pendant 25 mn.

Pendant ce temps, préparer la crème pâtissière. Dans un bol, délayer les sucres avec les œufs entiers, fouetter. Ajouter la farine. Verser le lait chaud sur le mélange en fouettant doucement. Mettre le tout sur le feu. Laisser épaissir en remuant sur feu doux, de façon à ce que la crème n'attache pas au fond de la casserole. Retirer au premier bouillon. Laisser refroidir.

Égrener le raisin. Étendre la crème pâtissière sur le fond de la tarte démoulé. Enfoncer les grains de raisins dans la crème à mi-hauteur.

TARTE AUX RAISINS CUITS

Préparation : 30 mn
Cuisson : 50 à 55 mn

Pâte brisée : 250 g de farine, 125 g de beurre, sucre, eau, sel (voir recette).

Garniture : 2 œufs, 100 g de sucre, 2 cuillerées à soupe d'amandes en poudre, 3 cuillerées à soupe de crème fraîche, 500 g de raisins blancs, 250 g de raisins noirs, muscat de préférence.

Faire une pâte brisée. La mettre en boule et la laisser reposer au frais.

Étendre la pâte et en garnir un moule à tarte beurré et fariné. La piquer.

Remplir le fond de la tarte avec les raisins bien serrés. Battre les œufs avec le sucre. Lorsque le mélange devient mousseux, ajouter la crème et les amandes en poudre. En recouvrir les raisins.

Mettre à four chaud.

Au bout de 20 mn environ, diminuer la température du four (four moyen).

Cuire encore 30 mn. Le fond de la tarte doit être bien cuit.

Servir tiède ou froid.

TARTE A LA RHUBARBE
(au flan)

Préparation : 20 mn
Cuisson : 30 à 35 mn

> **Pâte brisée :** 250 g de farine, 125 g de beurre, sucre, eau, sel (voir recette).
>
> 800 g de rhubarbe.
>
> **Flan :** 2 œufs, 125 g de sucre, 125 g de crème fraîche.

Éplucher les côtes de rhubarbe en enlevant les plus gros fils. Les couper en petits morceaux de 1 à 1,5 cm de long environ. Mettre dans une jatte, couvrir avec un peu de sucre, laisser macérer jusqu'à ce que la rhubarbe ait rendu du jus (1 h environ).

Faire une pâte brisée. La mettre en boule, la laisser reposer au frais (si possible).

Étendre la pâte, en garnir un moule à tarte beurré et fariné, la piquer. Disposer dessus les dés de rhubarbe bien égouttés.

Mettre à four chaud pendant 20 mn.

Pendant ce premier temps de cuisson, préparer le flan : dans un bol, battre les œufs avec le sucre, puis ajouter la crème. Le mélange devient mousseux et épais.

Retirer la tarte du four et verser le flan sur la rhubarbe. Continuer la cuisson 10 à 15 mn environ, jusqu'à ce que la tarte soit bien dorée.

TARTE A LA RHUBARBE MERINGUÉE

Préparation : 25 mn
Cuisson : 30 à 35 mn

Pâte brisée : 250 g de farine, 125 g de beurre, sucre, eau, sel (voir recette).

1,500 kg de rhubarbe.

Meringuage : 3 blancs d'œufs, 100 g de sucre.

Faire une pâte brisée. La mettre en boule et la laisser reposer au frais.

Pendant ce temps, éplucher les côtes de rhubarbe en enlevant les plus gros fils. Les couper en dés de 1 cm de long environ.

Étendre la pâte, en garnir un moule à tarte beurré et fariné. La piquer. Remplir l'intérieur avec les dés de rhubarbe.

Mettre à four chaud 30 mn environ.

Battre les blancs en neige très ferme avec le sucre.

Quelques minutes avant la fin de la cuisson, couvrir la tarte avec les blancs battus.

Remettre dans le four pour achever la cuisson et blondir la meringue.

Servir tiède ou froid.

TARTE AU RIZ
(Belgique)

Préparation : 30 mn
Cuisson : 50 à 60 mn

Pâte brisée : 250 g de farine, 125 g de beurre, sucre, eau, sel (voir recette).

Garniture : 150 g de riz, 1 l de lait, 4 œufs, 150 g de sucre en poudre, 2 paquets de sucre vanillé, sel, 4 macarons.

Faire la pâte brisée. La mettre en boule. Laisser reposer au frais.

Pendant ce temps, faire cuire le riz dans le lait (15 à 20 mn). Lorsque le riz est cuit, ajouter le sucre en poudre, le sucre vanillé et une pincée de sel. Remuer puis incorporer 4 jaunes d'œufs les uns après les autres.

Écraser 3 macarons et les ajouter au riz. Battre les blancs en neige très ferme, les incorporer délicatement au mélange.

Étendre la pâte brisée dans un moule préalablement beurré et fariné. Piquer le fond. Verser la préparation sur la tarte en lissant bien avec une spatule.

Dans un bol, mélanger le dernier macaron écrasé avec la moitié d'un œuf battu et un peu de sucre. Étaler sur le riz.

Cuire à four chaud 50 à 60 mn environ.

TARTE AU SIROP D'ÉRABLE
(Canada)

Préparation : 20 mn
Cuisson : 25 mn

Pâte brisée : 250 g de farine, 125 g de beurre, 30 g de sucre, eau, sel (voir recette).

Garniture : 1/4 l de sirop d'érable, 1 cuillerée à soupe de farine de maïs, 50 g de beurre, 125 g de noix ou d'amandes hachées.

Préparer la pâte brisée. La mettre en boule, la laisser reposer au frais.

Faire bouillir 5 mn le sirop d'érable avec 3 cuillerées d'eau bouillante. Dans un bol, délayer la farine de maïs avec 3 cuillerées à soupe d'eau froide. Ajouter au sirop bouillant. Mélanger. Incorporer le beurre. Laisser tiédir cette préparation.

Étendre la pâte au rouleau. En garnir un moule à tarte beurré et fariné.

Verser la préparation sur la pâte. Parsemer la surface de noix ou d'amandes hachées.

Cuire à four chaud 25 mn.

TARTE AU VIN

(Suisse)

Préparation : 30 mn
Cuisson : 35 à 40 mn

> **Pâte levée :** 350 g de farine, 15 g de levure de boulanger, 4 dl de lait.
>
> **Garniture :** 3 œufs, 150 g de beurre, 180 g de sucre en poudre, sel, 1 dl de vin blanc sec.

Préparer la pâte levée. Délayer la levure dans un peu de lait tiède. Dans une terrine, mettre la farine, une pincée de sel, une cuillère à soupe de sucre. Mélanger. Creuser un puits. Incorporer en ramenant la farine vers le centre, le beurre ramolli (100 g), la levure délayée et le lait. Bien travailler la pâte.

Mettre en boule et laisser reposer dans un endroit tiède pour lever, 2 h environ.

Étaler la pâte au rouleau et en garnir un moule à tarte à bords assez hauts, préalablement beurré et fariné.

Dans un bol, battre 3 œufs entiers avec 100 g de sucre jusqu'à ce que le mélange soit mousseux. Ajouter le vin blanc. Verser ce mélange sur la pâte.

Mettre à four chaud 20 mn environ, puis retirer du four. Saupoudrer la surface de la tarte de 50 g de sucre en poudre. Parsemer de petites noisettes de beurre (50 g).

Remettre à four moyen pour achever la cuisson, 15 mn environ.

TARTE A LA VERGEOISE

Préparation : 25 mn
Cuisson : 15 à 20 mn

Pâte levée : 500 g de farine, 15 g de levure de boulanger, 1 verre de lait, 100 g de beurre, 2 œufs, 2 cuillerées à soupe de sucre, 1 pincée de sel.

Garniture : 200 g de vergeoise brune (sucre brun en poudre) (ou, à défaut, cassonade), 40 g de beurre.

Faire tiédir le lait, y ajouter la levure et le sucre. Bien délayer et laisser reposer 20 mn.

Sur une table, disposer la farine, creuser une fontaine, y mettre les œufs, le sel. Travailler rapidement les éléments avec la main en ajoutant le lait, puis le beurre fondu (100 g). Pétrir la pâte jusqu'à ce qu'elle se détache des doigts. La mettre en boule et la laisser lever dans un endroit tiède.

Attendre qu'elle ait doublé de volume.

Étendre la pâte en une galette ronde de 1 cm d'épaisseur. L'arrondir en se servant d'un plat. La poser sur la tôle du four beurrée et farinée (on peut aussi la mettre dans un moule à tarte).

Disposer la vergeoise sur toute la surface de la pâte en laissant un espace de 1 à 2 cm tout autour. Parsemer de petits morceaux de beurre.

Faire cuire à four chaud 15 à 20 mn.

Servir froid ou tiède.

GATEAU BRETON
(galette)

Préparation : 20 mn
Cuisson : 50 mn

> 250 g de farine, 150 g de beurre salé, 2 œufs, 150 g de sucre,
> 1 cuillerée à soupe de rhum, 1/2 cuillère à café d'eau de fleur
> d'oranger, 1 œuf pour dorer.

Mettre la farine sur une planche. Mettre au centre le beurre ramolli coupé en morceaux. Travailler le beurre et la farine du bout des doigts.

Dans un bol, battre les œufs avec le sucre, puis le rhum et l'eau de fleur d'oranger. Ajouter ce mélange à la pâte en continuant à travailler à la main. Mettre en boule et laisser reposer quelques heures au frais.

Étendre la pâte (en tassant avec la main, ou au rouleau) dans un moule à tarte beurré et fariné. Dorer à l'œuf battu. Décorer le dessus avec la pointe d'un couteau.

Cuire à four chaud 20 mn, puis à four moyen 30 mn environ.

Variante : On peut ajouter à la pâte, en même temps que le rhum, 75 g de fruits confits (oranges, angéliques) coupés en dés et macérés dans le rhum.

GALETTE DE PÉROUGES

Préparation : 10 mn
Cuisson : 20 à 25 mn

> 200 g de farine, 200 g de beurre, 1 œuf, 100 g de sucre, 1 citron non traité, 1 pincée de sel, 10 g de levure de boulanger, 10 cl d'eau.

Faire dissoudre la levure dans l'eau tiède. Mélanger une partie du beurre (125 g) avec l'œuf, le zeste de citron, un peu de sucre (30 g). Ajouter la levure et l'eau, puis incorporer la farine petit à petit en pétrissant.

Travailler la pâte jusqu'à ce qu'elle se détache des doigts. La mettre en boule et la laisser lever 2 h environ à température douce.

Étendre la pâte en une feuille mince (4 à 5 mm) au rouleau, en lui donnant une forme ronde. La poser sur la tôle du four beurrée et farinée. Relever la pâte tout autour pour former un bourrelet torsadé.

Disposer sur la galette le beurre restant en petites noix. Saupoudrer largement de sucre.

Cuire à four chaud. Lorsque les bords sont durs, la galette est cuite.

Servir tiède.

GALETTE DU POITOU

(« Broye »)

Préparation : 25 mn
Cuisson : 15 à 20 mn

**500 g de farine, 250 g de beurre, 250 g de sucre en poudre,
1 pincée de sel, 2 cuillerées à soupe d'eau-de-vie, 1 œuf pour dorer.**

Dans une terrine, travailler le beurre ramolli, le sucre, le
sel. Ajouter ensuite l'eau-de-vie, puis la farine. Pétrir avec
les mains. Mettre la pâte en boule et l'étendre au rouleau
sur 1 cm d'épaisseur. Lui donner une forme ronde qu'on
égalise avec un plat.

Avec la pointe d'un couteau, piquer la galette, la dorer à
l'œuf battu et la décorer de croisillons à l'aide d'une fourchette.

Mettre à four chaud 15 à 20 mn environ.

GALETTE AUX NOIX DE L'ENGADINE

Préparation : 35 mn
Cuisson : 45 à 50 mn

Pâte : 350 g de farine, 175 g de beurre, 175 g de sucre en poudre, 1 œuf, 1 pincée de sel.

Garniture : 300 g de sucre en poudre, 300 g de cerneaux de noix hachés, 50 g d'amandes effilées, 2 cuillerées à soupe de miel, 1/4 l de crème fraîche.

Préparer la pâte : dans une terrine, mélanger le beurre ramolli, le sucre, l'œuf et le sel. Incorporer la farine et pétrir avec les doigts légèrement. Former une boule de pâte.

Séparer la pâte en deux parties : l'une, un peu plus grosse, qui servira de fond, l'autre, plus petite, formera le couvercle.

Étendre la pâte pour le fond. En garnir un moule à tarte beurré et fariné. Les bords doivent avoir au moins 3 cm de haut. Étendre la pâte pour le couvercle.

Préparer la garniture : dans une casserole, faire caraméliser le sucre doucement. Ajouter les noix et les amandes, les laisser dorer. Incorporer la crème et laisser bouillir en remuant avec une cuillère en bois.

Laisser un peu refroidir. Ajouter le miel.

Verser la crème aux amandes sur le fond de la tarte. Badigeonner le bord supérieur de la tarte au blanc d'œuf. Poser le couvercle. Souder avec les doigts couvercle et fond.

Tracer des dessins sur le dessus avec la pointe d'un couteau. Dorer à l'œuf battu.

Cuire à four chaud 40 à 50 mn.

GALETTE DES ROIS FRANGIPANE

Voir photo page 113

Préparation : 20 mn
Cuisson : 50 mn

> **500 g de pâte feuilletée** préparée (voir recette) ou achetée toute prête.
>
> **Crème frangipane :** 200 g d'amandes en poudre, 100 g de sucre, 75 g de beurre, 2 œufs, 1 petit verre de rhum.
>
> 1 œuf pour dorer, 1 fève.

Diviser la pâte en deux. Former deux boules bien rondes. Les étendre au rouleau sur la table farinée en deux ronds identiques de 5 mm d'épaisseur environ.

Dans une terrine, travailler au fouet le beurre ramolli, la poudre d'amandes, le sucre, le rhum. Lorsque le mélange est bien lisse, ajouter les œufs entiers, un à un.

Poser le premier rond de pâte sur la tôle du four mouillée. Étaler la crème frangipane en laissant une bordure de 2 cm tout autour. Glisser la fève dans la crème.

Badigeonner ce bord au blanc d'œuf.

Poser dessus le deuxième rond de pâte. Appuyer avec les doigts tout autour pour souder les deux parties.

Avec la pointe d'un couteau, cisailler en biais les bords. Faire des dessins avec le couteau sur le dessus.

Dorer la surface à l'œuf battu avec un pinceau.

Faire cuire à four chaud 40 mn, puis à four moyen 10 mn.

Servir tiède ou froid.

TARTE ou GALETTE AU SUCRE PAYSANNE

Préparation : 15 à 20 mn
Cuisson : 20 mn

Pâte : 300 g de farine, 100 g de beurre, 1 œuf, 15 g de levure de boulanger, 1 pincée de sel, 1 cuillerée à soupe de sucre.

Garniture : 100 g de beurre, 100 g de sucre cristallisé (ou de vergeoise).

Dans un bol, délayer la levure dans 3 cuillerées d'eau tiède.

Dans une terrine tiède, mettre le beurre, le ramollir en le travaillant à la spatule. Ajouter l'œuf entier, le sel et la levure délayée et le sucre.

Incorporer la farine en travaillant la pâte jusqu'à ce qu'elle ne colle plus aux doigts.

La mettre en boule. La couvrir d'un linge. La laisser lever 1 h 30 dans un endroit tiède.

Étaler la pâte en une galette ronde. En garnir un moule à tarte beurré et fariné. Rouler le bord en un bourrelet. Parsemer de noisettes de beurre (100 g).

Saupoudrer de sucre cristallisé.

Faire cuire à four chaud 15 à 20 mn.

Badigeonner la tarte d'eau froide à la sortie du four.

Servir tiède.

TABLE DES ILLUSTRATIONS

Tous les dessins sont de Gérard Deshayes.

TABLE DES MATIÈRES

Tartes sucrées

— tourtes, « pies », galettes...

Pour recevoir régulièrement, sans aucun engagement de votre part, l'Actualité Littéraire Flammarion, il vous suffit d'envoyer vos nom et adresse à :
Flammarion, Service ALF, 26, rue Racine, 75278 PARIS Cedex 06.

Pour le CANADA à :
Flammarion Ltée, 163 Est, rue Saint-Paul, Montréal PQ H2Y 1G8.

Vous y trouverez présentées toutes les nouveautés mises en vente chez votre libraire : romans, essais, sciences humaines, documents, mémoires, biographies, aventures vécues, livres d'art, livres pour la jeunesse, ouvrages d'utilité pratique...

ACHEVÉ D'IMPRIMER
PAR L'IMPRIMERIE HEMMERLÉ
EN SEPTEMBRE 1981

Printed in France
Dépôt légal : 4e trimestre 1980
N° d'édition : 11066 — N° d'imprimeur : 1141